Über dieses Buch Dieser Band mit Notaten schließt direkt an ›Die Provinz des Menschen. Aufzeichnungen 1942–1972‹ an. Hier wie dort die Protokolle strenger Denkprozesse, in denen der Leser die Entstehung und die Verwandlung von Ideen, Beobachtungen und Erinnerungen auf unmittelbare und faszinierende Weise verfolgen kann. Die Jahre von 1973 bis 1985, von denen hier die Rede ist, sind hauptsächlich die Jahre der Arbeit an der großen dreibändigen Autobiographie. Überwiegend sind es aphoristisch zugespitzte Überlegungen zu Zeit, Vergänglichkeit, Vergeblichkeit und Tod – das große Thema in Elias Canettis Gesamtwerk. Da finden sich dann Sätze wie dieser: »Der Kleinliche: statt sich dem Tod zu stellen, mäkelt er am Alter herum.« Hans Mayer schrieb in einer hymnischen Rezension beim Erscheinen der Originalausgabe: »Am Schluß erweist sich die Negation und Ächtung des Todes als geheimer Lebenshymnus. ›Er sucht nach etwas, das er straflos anbeten kann.‹ Notiert im Jahre 1985. Und mit achtzig Jahren.«

Der Autor Elias Canetti wurde am 25. Juli 1905 in Rustschuk/Bulgarien geboren. Übersiedlung der Familie nach Wien, Abitur in Frankfurt, Studium der Naturwissenschaften in Wien mit Promotion. 1938 Emigration nach England. Elias Canetti wurde 1972 mit dem Georg-Büchner-Preis, 1975 mit dem Nelly-Sachs-Preis, 1977 mit dem Gottfried-Keller-Preis und 1981 mit dem Nobelpreis für Literatur ausgezeichnet. Er lebt heute abwechselnd in Zürich und in London.
Vom selben Autor sind im Fischer Taschenbuch Programm lieferbar: ›Die Blendung‹ (Bd. 696), ›Dramen. Hochzeit/Komödie der Eitelkeit/Die Befristeten‹ (Bd. 7027), ›Das Gewissen der Worte‹ (Bd. 5058), ›Masse und Macht‹ (Bd. 6544), ›Der Ohrenzeuge‹ (Bd. 5420), ›Die Provinz des Menschen‹ (Bd. 1677), ›Die Stimmen von Marrakesch‹ (Bd. 2103), ›Die gerettete Zunge‹ (Bd. 2083), ›Die Fackel im Ohr‹ (Bd. 5404) und ›Das Augenspiel‹ (Bd. 9140).

ELIAS CANETTI

DAS GEHEIMHERZ DER UHR

AUFZEICHNUNGEN
1973–1985

FISCHER TASCHENBUCH VERLAG

13.–14. Tausend: März 1992

Ungekürzte Ausgabe
Veröffentlicht im Fischer Taschenbuch Verlag GmbH,
Frankfurt am Main, März 1990

Lizenzausgabe mit freundlicher Genehmigung
des Carl Hanser Verlags, München – Wien
© 1987 by Elias Canetti, London
Umschlaggestaltung: Buchholz / Hinsch / Hensinger
Umschlagabbildung: Salvador Dali ›Weiche Weckeruhr‹ (Ausschnitt)
© VG Bild-Kunst, Bonn / Demart pro arte, 1989
Gesamtherstellung: Clausen & Bosse, Leck
Printed in Germany
ISBN 3-596-29577-7

Für Hera Canetti

Der Prozeß des Schreibens hat etwas Unendliches. Auch wenn er jede Nacht unterbrochen wird, ist es eine einzige Niederschrift, und am wahrsten erscheint sie, wenn sie sich durch keinerlei wie immer geartete Kunstmittel in Szene setzt.

Aber dazu gehört ein Vertrauen in die Sprache, wie sie eben ist, es wundert mich, daß ich es noch so sehr habe. Sprachexperimente haben mich wenig gelockt, ich nehme Kenntnis von ihnen, aber meide sie, wenn ich selber schreibe.

Der Grund dafür ist, daß mich die *Substanz* des Lebens vollkommen in Anspruch nimmt. Wer sich auf Experimente mit der Sprache einläßt, verzichtet auf den größten Teil dieser Substanz, bis auf einen winzigen Teil davon bleibt alles unberührt und unausgeschöpft liegen, als würde er unaufhörlich nur mit einem kleinen Finger spielen.

Warum wehrst du dich gegen die Vorstellung, daß der Tod in den Lebenden schon da ist? Ist er nicht in dir?

Er ist in mir, weil ich ihn zu attackieren habe. Dazu, zu nichts anderem brauche ich ihn, dazu habe ich ihn mir geholt.

Sammler letzter Blicke: Wie ich die Ergebenen beklage, die mit ihrem Tod alle, die leben und leben werden, aufgeben.

Die tiefsinnigsten Gedanken der Philosophen haben etwas von Tricks. Viel verschwindet, damit etwas plötzlich in der Hand ist.

Durch dreierlei ist Schopenhauer vom Tod bestochen: durch die Rente seines Vaters, durch den Haß gegen seine Mutter, durch die Philosophie der Inder.

Er hält sich für unbestechlich, weil er kein Professor ist. Er will es nicht wahrhaben, daß die sträflichste, die durch nichts wiedergutzumachende Bestechung die durch den Tod ist.

Ein nützlicher Gegner ist er darin nicht. Was gegen ihn zu sagen ist, sagt sich besser gegen die Inder.

Wie wenig Jacob Burckhardt dich beirrt hat, trotz seiner Annahme Schopenhauers!

Du verdankst Burckhardt viel:

seiner Weigerung gegen jedes System aus der Geschichte;

seinem Gefühl davon, daß nichts *besser* geworden war, im Gegenteil eher schlechter;

seinem Respekt vor allem *Gestalteten*, im Gegensatz zum Begrifflichen;

seiner Wärme für wirklich gelebtes Leben, von der Zartheit seines Verzichts genährt;

seiner unverschönten Kenntnis der Griechen;

seinem Widerstand gegen Nietzsche, früh für mich eine Warnung.

Der Schatten, der auf Burckhardts Denken lag, war nicht einer des Fühlens. Seine Begeisterung gilt *Einzelnem.* Wenn manches davon verwelkt ist, bewahrt anderes seine Wirkung. Man muß ihn nicht akzeptieren. Man kann ihn nicht verwerfen.

Kein Historiker des vorigen Jahrhunderts, den ich so uneingeschränkt bewundere.

In den Jahren der Vorbereitung, als ich das Unterschiedlichste las, um den Weg zu »Masse und Macht« zu verlängern, sah es so aus, als sei ich in einem Ozean von Lektüre verloren. Wer von diesem Zustand erfuhr, hielt mich für besessen, selbst von besten Freunden empfing ich behutsam Ratschläge. Es sei überflüssig, nichts als Quellen zu lesen, auch die großen alten Bücher seien tausendmal schon erschöpft und zu wenigen, bleibenden Erkenntnissen reduziert worden. Alles übrige sei Ballast, mit dem man sich nicht beschweren dürfe. Das Wegschieben des Unnötigen sei an jeder größeren Arbeit das Wichtigste.

Ich aber ruderte steuerlos in meinem Meer und ließ mich nicht beirren. Eine Rechtfertigung für dieses Verhalten hatte ich nicht, – bis ich auf folgenden Satz stieß:

»Es kann sein, daß im Thukydides z. B. eine Tatsache ersten Ranges liegt, die erst in hundert Jahren jemand bemerken wird.« Dieser Satz findet sich in der Einleitung zu den »Weltgeschichtlichen Betrachtungen«.

Das Intimste, was ich Burckhardt zu danken habe, meine Rechtfertigung für jene Jahre, ist dieser Satz.

Die Öffentlichkeit nimmt dem Menschen seine Redlichkeit. Gibt es noch eine Möglichkeit öffentlicher Wahrheit?

Die erste Voraussetzung zu ihr wäre, daß man seine Fragen *selber* stellt und nicht nur selber beantwortet. Die fremden Fragen entstellen, man paßt sich ihnen an, man nimmt Worte und Begriffe hin, die man um jeden Preis meiden müßte.

Man dürfte nur Worte gebrauchen, die man mit neuem Sinn erfüllt hat.

Am Rande des Abgrunds klammert er sich an Bleistifte.

Die Übertreibung *retten*. Nicht vernünftig sterben.

Angewiesen auf verdurstete Götter.

Über die Trennungen: sag es, was für ein frevles Spiel du
mit den Trennungen immer schon getrieben hast.

Gefährlich leben? Welches Leben kann gefährlicher sein
als das der Trennungen?

Wer die eigene Luft braucht, wer in ihr nur denken
kann, verschafft sie sich durch das entsetzliche Mittel der
Trennungen. So tust du es nun dem Kinde im zartesten Alter an: um bei deinen Gedanken zu sein, gewöhnst du es
an Trennungen.

Er sucht von der Zukunft zu sprechen, fühlt sich als Stüm-
per und verstummt.

So gute Menschen und schauen andere an wie Luft.

Es ist mißlich, Aufzeichnungen zu *erklären*, es ist, als
nähme man sie zurück.

Wer vom Tod besessen ist, wird durch ihn schuldig.

Einen Menschen ein ganzes Leben lang kennen und verschweigen.

Sich unterordnen, um *genauer* zu hassen.

Ob Gott tot ist oder nicht: es ist unmöglich, von ihm zu schweigen, der so lange da war.

Unaufhörlich Konstruktionen, statt der Geschichten, die du nicht schreibst. Den Menschen deiner nächsten Umgebung entnimmst du, was in hundert Figuren gehören würde.

Jemanden suchen, den man nicht finden will.

Er sah zu, wie alle seine Figuren sich in seine Jugend verkrochen.

Unter Weltliteratur stellen sie sich etwas vor, was sie *zusammen* vergessen dürfen.

Manche sentimentalen Figuren gehen als Weichteile in härtere ein und halten sich dort geschickt verborgen.

Den Schluß verschleiern oder verschärfen: einzige Wahl.

Er erkannte die Wirkung seiner Worte und verlor darüber die Sprache.

Du hast es bezweifelt, doch mußt du dir Ruhm gewünscht haben. Aber hast du das andere nicht tausendmal mehr gewünscht, die Rückkehr eines Toten? Und du hast es nicht erlangt.

Nur die erbärmlichen, die überflüssigen, die schamlosen Wünsche gehen in Erfüllung, und die großen, die eines Menschen würdig sind, bleiben unerfüllbar.

Es wird keiner kommen, nie kommt einer wieder, verfault sind die, die du gehaßt und verfault sind die, die du geliebt hast.

Wäre es möglich, *mehr* zu lieben? Einen Toten durch mehr Liebe zum Leben zurückzuholen, und hat noch keiner genug geliebt?

Oder würde eine Lüge genügen, die so groß ist wie die Schöpfung?

Die Hoffnungen, zu Warzen vertrocknet.

Die Zonen des Respekts, den man für sich erwartet, begrenzen. Das meiste freihalten.

Immer nach Sonnenuntergang kam die Spinne hervor und wartete auf die Venus.

Er fragt mich, warum er lästern muß. Aus Selbstgefälligkeit, sollte ich sagen.

Doch ich kann ihn mein Urteil nicht merken lassen. Ich hasse Urteile, die bloß zerdrücken und nichts ändern.

Er wurde zu jedem Tier, das Appetit auf ihn zeigte.

Die Klagemeute der Elefanten: ergreifendste aller Klagemeuten.

Der Unverbesserliche: noch angesichts der hundert Spinnennetze, die er täglich fühlt, wünscht er Ewigkeit – für wen? Für die Opfer oder für die Spinnen?

Nun leuchten die Sterne als Opfer, nun sind sie nichts mehr ohne uns.

Die Generation, die den Himmel verlor, indem sie ihn eroberte.

Er zupfte Spinnen die Beine aus und warf sie hilflos in ihre eigenen Netze.

Wer zuviel Worte hat, kann nur noch allein sein.

Ein Land, in dem die Sprache alle zehn Jahre wechselt. Sprach-Wechselstuben.

Riesige Spinnennetze für Menschen. An den Rändern lassen sich vorsichtig Tiere nieder und sehen den gefangenen Menschen zu.

Am unerträglichsten ist es, sich zu *verengen:* zuviel mit jemand beisammen zu sein, der seine Grenzen hütet.

Es mag jemand sein, dessen Redlichkeit sich mit seinen Grenzen deckt und der seine Enge vor Unruhe, aber auch vor Schlechtigkeit *schützt.* Doch es hilft wenig, sich das zu sagen: für den, der auf Wahrheit aus ist, ist auch die reinlichste Enge quälend.

Er rast an den Grenzen entlang und verwünscht ihre Dichte.

Den Morast der Selbstzufriedenheit entwässern.

Einer, der allein unüberwindlich wäre. Doch er schwächt sich durch Verbündete.

Ob man ein Unrecht zugeben könne, wenn man den, dem man es angetan hat, verachtet.

Blüten, komposit wie Kathedralen.

Sie konstruierten sich einen neuen Sternenhimmel und entkamen.

Die verborgene Ökonomie des Zögerns, die ein ganzes Leben wirksam war, ohne daß er sie selber begriffen hätte. Diese Zögerung ist das Gewicht seines Denkens, ohne sie wäre es leerer Wind.

Er mag an Menschen nicht, was sie vergessen haben. Er mag an ihnen das, woran sie sich erinnern.

Der Codex Atlanticus, der die Skizzenblätter von Leonardo enthält, soll originalgetreu in zwölf Bänden herausgegeben werden, in 998 Exemplaren.
»Für den Ledereinband sind die Felle von rund 12 000 Kühen nötig, denn ein jedes reicht nur für einen Band.«

Das Furchtbare sind nicht die Widersprüche, sondern ihre allmähliche Entkräftung.

Wie sein Atem heiß wird unter jungen Hörern!

Selbst mit einer Wiederkehr, die ihm früher verächtlich schien, würde er sich jetzt zufriedengeben.

Das einzige, was sich nicht an ihm rächt, sind Aufzeichnungen.

Wechselbilder: das Bild eines großen Malers, das sich nach einiger Zeit in das eines anderen Malers verwandelt. Verwandlungen geheim und unbestimmbar: man weiß nie, was einem mit einem Bild bevorsteht.

Was wird aus den Bildern der Toten, die du in deinen Augen trägst? Wie hinterläßt du sie?

Es ist schon schwer, die *eigene* Selbstzufriedenheit zu ertragen. Aber die der anderen!

Die katastrophale Eigenschaft Gottes war seine Größe.

Der edle Schwindler sprach sich jedes Verdienst ab.

Wenn K. »reich« sagt, von irgendwem, verzieht sich sein Gesicht und er gleicht plötzlich einem Windhund. Fast wird er schön, wenn er »reich« sagt, so *geschwind* wäre er's.

Die Bewunderte, die jeden Blick erwidert, so ernst und schicksalsmächtig, als hätte man zu ihr gebetet. Sie selbst bleibt stumm. Kaum lächelt sie, ist es um sie geschehen. Sie erhört zu früh, ihre Dankbarkeit zerstört ihre Schönheit.

Der hängt an seinen alten Werken wie an vergangenen Kulturen.

Der Biedermann, als zuckersüchtiges Pferd verkleidet.

Das ist ein Aphorismus, sagt er, und klappt den Mund rasch wieder zu.

Er führt zwei zeitungslose Tage die Woche ein und siehe da, es bleibt alles beim Neuen.

Es könnte ja sein, daß Gott nicht schläft, sondern sich aus Angst vor uns versteckt hält.

Im Alter werden die Sinne klebrig.

Philosophen, in die man sich verzettelt: Aristoteles. Philosophen, durch die man niederhält: Hegel.
   Philosophen zum Aufblähen: Nietzsche.
   Zum Atmen: Dschuang-tse.

Vergeßliche Zitate.

Goethe ist es geglückt, den Tod zu meiden. Mit Kälte erfüllt einen, daß es ihm zu gut geglückt ist; mit Bewunderung, daß jedes seiner Lebenszeugnisse zählt.

Meine Schwermut ist nie frei von Zorn. Unter den Schriftstellern bin ich einer, der wütet. Beweisen will ich nichts, aber immer glaube ich heftig und verbreite meinen Glauben.

Ist es darum, daß Stendhal mir not tut? Ich erkenne mich in seiner Freiheit und seiner unmäßigen Liebe für Menschen. Aber er glaubt nur für sich, alles mögliche, immer anderes, und da ich das nicht kann, da mich immer dasselbe peinigt und ich alle damit erfüllen möchte, bewundere ich ihn, nicht als Vorbild, aber als eine Art besseres Ich, das ich nie, keinen Augenblick je wirklich sein werde.

Er ist natürlicher, er täuscht sich nicht über Erfolg, Ruhm ist ihm weder fraglich noch eine Schande. Ohne berechnend zu sein, sieht er, was gut für ihn wäre. Er ist rasch, er schreibt viel auf, er läßt es liegen. Ich dachte früher, daß ich dasselbe tue.

Ich wüßte sie nicht mehr aufzuzählen, alle meine Toten. Versuchte ich es, ich würde die Hälfte von ihnen vergessen. So viele sind es, überall sind sie, ich habe Tote auf der ganzen Erde zerstreut. So ist die ganze Erde meine Heimat. Kaum ein Land, das ich mir noch erwerben müßte, die Toten haben es für mich besorgt.

Wenn du dein Leben niederschreibst, müßte auf jeder Seite etwas sein, von dem noch nie ein Mensch gehört hat.

Unamuno gefällt mir: er hat die gleichen schlechten Eigenschaften, die ich von mir selber kenne, aber er denkt nicht daran, sich für sie zu schämen.

Es zeigt sich, daß du aus einigen Spaniern zusammengesetzt bist: Rojas (der die »Celestina« geschrieben hat), Cervantes, Quevedo, von jedem etwas.

Stendhal ist eher Italiener, durch Ariost und Rossini. Selbst Napoleon hat er sich als Italiener erklärt.

Sehr wäre mir daran gelegen gewesen, Stendhal Italienisch sprechen zu hören.

Stendhal belebt mich zu jeder Zeit, in jeder Verfassung. Ist es erlaubt, sich so beleben zu lassen?

Vielleicht sollte einen nur Neues beleben dürfen, das einen überrascht. Vielleicht wäre das legitim, allem anderen haftet ein Geschmack von Medizin an.

»Als Solon über den Tod seines Sohnes weinte und einer zu ihm sagte: ›Damit erreichst du nichts‹, so erwiderte er: ›Eben deshalb weine ich, weil ich nichts erreiche.‹«

Vielleicht spürt man, daß es die Toten noch gibt, aber in sehr wenigen Worten, und wer diese Worte wüßte, vermöchte die Toten zu hören.

Langsam stirbt die Einbildung in dir ab und du wirst schlicht und nützlich. Da es sehr schwer war, so zu werden, ist es nicht überflüssig.

Er hielt sich für klug, weil er am nächsten Tag anders dachte.

Der Traum des Semikolon.

Sehr schön ist die Wiederbelebung des Frühen, da es so lange vergessen war, wird es nun *wahrer*.

Läßt es sich immer wieder vergessen, läßt sich die Wahrheit steigern?

Um stolzer zu werden, ließ er sich immer wieder beleidigen.

Wie vielem bist du ausgewichen, um die Wucht des Todes nicht zu verringern!

Neun Jahre zwischen Braunschweig und Bonn: im Grunde dasselbe.

Das Rabiate der »Hochzeit« habe ich auf der Bühne noch nie erlebt, sonst wäre ich von der Meute zerrissen worden.

Der alte Mann, der dann auf der Bühne erscheint, Trotz, vielleicht auch Fassung, das Gegenteil des Bock: sie beschämt manche der Empörten. Über das Stück besagt das nichts. Zum erstenmal in Bonn hatte ich Lust, es hinter mich zu werfen. Ich kann es nicht, es stimmt zu sehr, es ist – auf andere Weise – gültig geblieben und vollkommen unwichtig ist es, ob sich der Dichter über seinen Mißbrauch und seine Aufnahme beleidigt fühlt.

Die leuchtenden Gesichter der Liebenden: öffentlich, so wie ich sie sehe, werben sie umeinander oder sind im vollkommenen Stand ihres Glücks.

Ich werde sie nicht sehen, wenn sie einander verlassen.

Du bist von den Tieren besessen. Warum? Weil sie nicht mehr unerschöpflich sind? Weil wir sie erschöpft haben?

Über einen einzelnen Menschen, wie er wirklich ist, ließe sich ein ganzes Buch schreiben. Auch damit wäre er nicht erschöpft, und man käme mit ihm nie zu Ende. Geht man aber dem nach, wie man über einen Menschen denkt, wie man ihn heraufbeschwört, wie man ihn im Gedächtnis behält, so kommt man auf ein viel einfacheres Bild: es sind einige wenige Eigenschaften, durch die er auffällt und sich besonders von anderen unterscheidet. Diese Eigenschaften übertreibt man sich auf Kosten der übrigen und sobald man sie einmal beim Namen genannt hat, spielen sie in der Erinnerung an ihn eine entscheidende Rolle. Sie sind, was sich einem am tiefsten eingeprägt hat, sie sind der *Charakter.*

Jeder trägt eine Anzahl von Charakteren in sich, sie machen seinen Erfahrungsschatz aus und bestimmen das für ihn resultierende Bild der Menschheit. Allzuviel solche

Typen gibt es nicht, sie werden weitergegeben und vererben sich von einer Generation zur anderen. Mit der Zeit verlieren sie ihre Schärfe und werden zu Gemeinplätzen. Ein Geizhals, sagt man, ein Dummkopf, ein Narr, ein Neidhammel. Es wäre nützlich, neue Charaktere zu erfinden, die noch nicht verbraucht sind und einem die Augen für sie wieder öffnen. Die Neigung, Menschen in ihrer Verschiedenartigkeit zu sehen, ist eine elementare und soll genährt werden. Sie soll sich nicht dadurch entmutigen lassen, daß zu einem kompletten Menschen viel mehr gehört, als in einen solchen Charakter hineingeht. Man wünscht sich Menschen sehr verschiedenartig, man würde sie nicht gleich haben wollen, selbst wenn sie's wären.

Manche der neuen »Charaktere«, die ich erfunden habe, mag man als Skizzen zu Romanfiguren ansehen, andere sind Anlässe zur Selbstbetrachtung. Auf den ersten Blick findet man Bekannte, auf den zweiten findet man sich. Es war mir beim Schreiben nicht ein einziges Mal bewußt, daß ich an mich selber dachte. Aber als ich das Buch mit den 50 Charakteren zusammenstellte, – aus einer größeren Zahl, die ich geschrieben hatte –, erkannte ich mich staunend in zwanzig von ihnen. So reich ist man zusammengesetzt und so sähe man jeweils aus, wenn ein einziges dieser Elemente, aus denen man besteht, konsequent auf die Spitze getrieben würde.

Wie viele Tiere erscheinen die Charaktere vom Aussterben bedroht. Aber in Wirklichkeit wimmelt die Welt von ihnen, man braucht sie nur zu erfinden, um sie zu sehen. Ob sie bösartig sind oder komisch, es ist besser, daß sie nicht von der Erdoberfläche verschwinden.

Seit wir von Jahrmillionen wissen, ist es um die Zeit geschehen.

Wien ist mir wieder so nah, als wäre ich nie fort gewesen. Bin ich zu Karl Kraus gezogen?

Erfolg ist der Raum, den man in der Zeitung einnimmt. Erfolg ist die Unverschämtheit eines Tages.

Das Kind fürchtet noch keinen Menschen. Es fürchtet auch kein Tier. Es hat eine Fliege gefürchtet und während einiger Wochen den Mond. »Sie hat jetzt Angst vor Fliegen. Wenn ihr eine zu nahe kommt, weint sie. Sie kauert verängstigt in einer Ecke, während die Fliege fett über die Wände ihres Bettchens promeniert.«

Man ist nur frei, wenn man nichts will. Wozu will man frei sein?

Seine Dankbarkeit verdreht Menschen den Kopf und sie öffnen den Rachen.

An Karl Kraus verdorrt. Alle Zeit, die ich nicht mehr habe, für ihn verwendet.

Nach der tristen Verfassung, in der ich mich seit gestern befand, las ich Karl Kraus. Ich las den Monolog des Nörglers im 5. Akt, ich las im »Nachruf«, ich ließ lange und für einmal ohne Vorurteil die »Panzersprache« auf mich wirken:

Sie hat mich erfaßt und gestärkt, sie hat mir Knochen wiedergegeben, die ich in meiner Totenstarre vergessen hatte, endlich erlebe ich wieder, was mir vor 50 und 45 Jahren geschah: die innere Gliederung und Härtung durch Karl Kraus.

Es gehört dazu die Gliederung dieser Sätze selbst, die Unerbittlichkeit ihrer Längen, ihre Zahllosigkeit, die Unabsehbarkeit, das Fehlen eines Gesamtziels, jeder Satz ist sich selber Ziel, und wichtig ist nur, daß man ihre Gleichmäßigkeit so lange auf sich einwirken läßt, wie es einem möglich ist, ihre Erregung zu fühlen. Es scheint, daß man besser dazu imstande ist aus einer eigenen Erregung heraus, welchen Charakter immer sie habe. Man kann die Panzersätze des Karl Kraus nicht kalt lesen. Man kann sie auch nicht als prüfender Intellekt lesen. Der neugierige Geist ist leicht, wirkliches Wissen gewinnt sich nur auf Flügeln, es ist nicht möglich, durch Karl Kraus zu Wissen zu gelangen. Wissen ist ihm gleichgültig, da es sich nicht verdammen läßt. Karl Kraus gibt einem Durchschauungen und wenn man sie in seiner Erregung erlebt, stärkt er die Wucht in einem gegen das, *was man nicht will*. Es ist wichtig zu wissen, was man nicht wollen *soll*, aber man muß es mit Abscheu und mit Kraft wissen. Man könnte so etwas dünn als die »moralischen Gesetze« bezeichnen. So bezeichnet, so eingesetzt, haben sie etwas Langweiliges, das sie unwirksam macht. In den Panzersätzen des K. K., wenn man sich ihnen in Verzweiflung, in Aufgewühltheit, in Schwäche nähert, empfängt man sie wie aus dem brennenden Dornbusch oder wie am Sinai.

Das Merkwürdige daran ist, daß er gar nichts Gottähnliches hat, wohl aber das Absolute der Forderung, die einmal eine religiöse war. Das Absolute hat sich verweltlicht und sich der Drohung Gottes bemächtigt, ohne darüber nachzudenken, was es tut: es droht, es züchtigt, es ist unerbittlich.

Es ist ein Aspekt des Satirikers, den man nirgends so gut studieren kann wie bei Karl Kraus. Es hängt damit zusammen, daß sein größter und eigentlichster Gegenstand der Züchtigung eben der Weltkrieg war, daß niemand die Natur des modernen technischen Krieges so vollkommen und in all seinen Facetten erkannt hat wie er, daß er ihn von seinem Anfang bis zu seinem Ende mit gleicher Kraft bekämpft hat, nicht erst als Konvertit der Niederlage, wie die meisten anderen. Aus Haß gegen den Krieg hat er seiner eigenen Seite (wenn sich so etwas bei ihm überhaupt sagen ließe) von Anfang an die Niederlage gewünscht, wie manche Propheten, die Seite, zu der er wirklich gehört hat, war die der *Opfer* und das schloß Menschen wie Tiere ein.

Es wäre kindlich zu erwarten, daß eine solche Aktivität sich ohne Pathos betreiben ließe. Wir, die wir sehr gute Gründe haben, Pathos zu mißtrauen, können nicht rückwirkend ausgerechnet ihm Pathos verargen oder es gar austreiben wollen. Wenn es überhaupt ein legitimes Pathos gibt, so ist es das seine. Hohl erscheint es auf keinen Fall, selbst wenn es sich gegen uns weniger überzeugende Gegenstände richtet, es ist immer von einer Leidenschaft ohnegleichen erfüllt und es kann nur denen theatralisch erscheinen, die ihn nicht selbst gehört haben.

Es ist nicht möglich, sich zurückzunehmen. Ich kann nicht wieder 22 sein. Ich kann mich nicht wieder unter den alten Zwang begeben, der mir damals als Freiheit erschien und mich beflügelte.

Wenn ich die Briefe des Karl Kraus heute lese, sind sie etwas Neues für mich. Ich darf sie nicht mit Dank lesen. Ich darf nur den Versuch machen, zu verstehen, was dieser Schreiber ist. Ich muß ihn anhören, als wäre ich die Frau, an die diese Briefe gerichtet sind und nicht bloß ich.

Immer mehr bin ich davon überzeugt, daß Gesinnungen aus Massenerlebnissen entstehen. Aber sind Menschen an ihren Massenerlebnissen schuld? Geraten sie nicht völlig ungeschützt in sie hinein? Wie muß einer beschaffen sein, um sich gegen sie wehren zu können?

Das ist es, was mich wirklich an Karl Kraus interessiert. Muß man imstande sein, *eigene* Massen zu bilden, um gegen andere gefeit zu sein?

Geistige Lähmung des Vaters: das Kind, das zu sprechen beginnt, ist so viel merkwürdiger als er.

Joubert, der leichteste, zarteste, der mir teuerste der französischen Moralisten.

Joubert ist dort geboren, wo in diesem Jahrhundert Lascaux entdeckt wurde. Ich war nah bei Montaigne, nicht weit von Montesquieu und wäre ich noch ein wenig weiter gefahren, ich wäre nach Montignac zu Joubert gelangt.

»Un seul beau son est plus beau qu'un long parler.«

1975

Laß dir die frühere Zeit nicht durch Briefe aus ihr verfälschen.

Die Nuß der Versäumnis.

»Mehr als ein wiedereingefangenes Pferd, das nicht nur Brandmarken, sondern auch Sattelspuren an sich trug, kämpfte eher bis zum Tod, als daß es sich wieder in menschliche Herrschaft ergab.«

Das Land ohne Brüder: niemand hat mehr als *ein* Kind.

Er mag kein Leben *ausführlich* erfinden und schreibt drum das eigene.

Schwierigkeiten des Dauerzorns.

Dasselbe wiedersagen, in Form der jungen Jahre.

Zweifeldrechsler.

Als ob man wissen könnte, welcher guten Tat ein Mensch fähig ist, man weiß ja auch nicht, welcher schlechten.

Welches längst Ausgelassene stürzt jetzt auf dich zu!

Du verlierst nichts durch das Aussprechen deiner Jugend, zwischen den Sätzen des Erinnerten meldet sich das Vernachlässigte und du bist um alles Verlorene reicher.

Es bleibt nichts anderes übrig, als die Berühmten wie die Berühmtheit zu *täuschen*.

Niemand hat einen Freund für *alles*, was er ist, das wäre Korruption.

Man kann nur leben, indem man oft genug *nicht* macht, was man sich vornimmt.

Die Kunst besteht darin, sich das Richtige zum Nichtmachen vorzunehmen.

Es erstickt, wer *sich* gehorcht, nicht weniger, als wer anderen gehorcht. Nur der Inkonsequente, der sich Befehle gibt, denen er ausweicht, erstickt nicht.

Manchmal, unter besonderen Umständen, ist es richtig zu ersticken.

Auf die Sprünge im Menschen kommt es an, wie weit er es *in sich* hat vom einen zum anderen.

Der Geist lebt vom Zufall, aber er muß ihn ergreifen.

Einen Mann in die Sprachen der Welt entlassen. Um alles Unverständliche wird er weiser. Er hütet sich davor, die Dunkelheit zur Tugend zu erheben. Aber er fühlt sie überall um sich.

Es lassen die Atemzüge sich nicht zu Schlüssen verdichten.

Die Welt, die immer älter und daran weiter wird, und die Zukunft zieht sich zusammen.

Der Aufstand des Alphabets.

Lehrbuch des Sprach*vergessens*.

Sühne für die neuen Zusammenhänge, die er in die Welt gebracht hat.

Bedenken gegen seine *Dankbarkeit*, eine raffiniertere Form der Selbstüberschätzung.

Ein Land, in dem die Menschen mit einem kleinen Knall platzen. Dann sind sie spurlos verschwunden, keine Reste.

Er ist von immer dümmeren Figuren umgeben, die alle er selbst sind.

Ich weiß, daß ich nichts getan habe. Was hilft es, sich zu sagen, daß manche nicht einmal das von sich wissen?

Es könnte sein, daß er die Geschichte lebendiger in sich hatte als die Historiker. Sie war seine Verzweiflung und ist es geblieben.

Du bist weniger glaubwürdig als Kafka, weil du schon so lange lebst.

Es könnte aber sein, daß die »Jungen« bei dir Hilfe gegen die Todseuche in der Literatur suchen.

Als einer, der den Tod mit jedem Jahr mehr verachtet, bist du von Nutzen.

Man kann gar nichts sein, man kann auf das jämmerlichste versagt haben, und doch durch eine einzige Konsequenz etwas nützen.

Wunderbar wäre es, noch einen Bruder zu finden, der es ebenso hart gesagt hat.

Das Bild des Vaters, der nicht mehr am Leben war, über den Betten in Wien, in der Josef-Gall-Gasse, ein blasses Bild, das nie etwas bedeutete.

In mir war sein Lächeln und waren seine Worte.

Ich habe nie ein Bild meines Vaters gesehen, das ich nicht unsinnig fand, nie ein geschriebenes Wort von ihm, das ich geglaubt hätte.

In mir war er immer um seinen Tod mehr. Ich zittere zu denken, was mir aus ihm geworden wäre, wenn er gelebt hätte.

So hältst du dir selbst den Tod entgegen, als wäre er der Sinn, die Herrlichkeit und die Ehre.

Aber er ist es nur, weil er nicht sein soll. Er ist es, weil ich den Gestorbenen gegen ihn erhöhe.

Der hingenommene Tod hat keine Ehre.

Kein Tod hat mir noch den Haß genommen, dort wo ich wirklich gehaßt habe. Vielleicht ist auch das eine Form der Nichtanerkennung des Todes.

»Mein Gesichtskreis, von dem ich doch im Grunde existiere.«

Aus einem Brief Jacob Burckhardts.

Er hat das Loben verlernt und mag nicht mehr leben.

Aus welchen Verachtungen hat sein Leben bestanden!
   Ratlosigkeit, denn sie haben ihn verlassen.
   Bangigkeit, weil er sie nicht mehr fühlt.

Der Gedankenheuchler: immer wenn eine Wahrheit droht, versteckt er sich hinter einem Gedanken.

Christus am Kreuz, und neben ihm hängen die Schächer. Ihr Mitleid *füreinander*.

So viel, so viel, und alles will dasein. Rätselhaft der Platz, den die Dinge sich finden: soviel *Durchdringungen*, und alles behält seine Konsistenz.

Gibt es einen Gedanken, der es wert wäre, nicht wieder gedacht zu werden?

Der Selbstforscher, ob er es will oder nicht, wird zum Erforscher alles anderen. Er lernt sich sehen, aber plötzlich, wenn er nur redlich war, erscheint das andere und es ist so reich, wie er selber war, und als letzte Krönung reicher.

Dieses Mißtrauen gegen alles Gedachte, bloß weil es sich schließt und erläutert!

Ich erinnere mich an die Art, wie er das Wort »Konsum« aussprach, lüstern, so wie heute noch viele »reich« sagen, vielleicht auch ein wenig wie ein Weinkenner und zugleich so, als wünsche er dem Konsum die Schwindsucht (englisch: »he is consumptive«). Aber das letzte war nicht ganz glaubhaft, wegen der roten Zunge, die dabei herausfuhr und über die Lippen leckte. »Konsum« blieb ein Schlüsselwort für ihn, das er nie wirklich zerlegte. Es steht schrecklich fremd, nämlich zu verständlich in seiner Sprache.

Leute, die nach der Atombombe »objektiv« sagen können.

Eine Welt ohne Jahre.

Kitsch der vorgezeigten Empfindlichkeit.

Verwickelte Verhältnisse wurden häufig von Rechtsgelehr-
ten gelöst, wenn z. B. ein Sklave zwei Herren gehörte und
von einem freigelassen wurde.

Persien.

Den Verfall beobachten, worin sich das Alter ausdrückt, es
ohne Emotion und Übertreibung verzeichnen.

Ermüdung aller Passionen, besonders aber jener für die
Ewigkeit. Die »Unsterblichkeit« wird lästig und unheim-
lich. Das könnte damit zusammenhängen, daß man nur
Fragliches verlassen wird und es gern los wäre.

Mehr Verachtung für sich, aber sie ist nicht genug
schmerzhaft. Man wünscht sich Reisen, Bewegung, doch
ohne Ortsveränderung. Härtere Reaktionen auf Beleidigung, man ist unverträglicher. Anbetungen lassen nach,
ihre Wucht verringert sich.

Das Gedächtnis setzt aus. Doch es ist alles da. Auch das
Vergessenste meldet sich wieder, aber wann *es* will.

Das Herz umstülpen, bis es nicht mehr gelten will.

Auf bestimmte Zeit erlöschen, aber sicher sein, daß man sich dann wieder entzündet.

Ein wichtiges Zeugnis:

»Ein Mann sagte zu mir, er glaube, weiße Leute seien nicht so bekümmert und aufgeregt, wenn ein weißer Mann stirbt, wie Buschmänner beim Sterben eines der ihren. ›Weiße Leute gibt es viele‹, sagte er, ›Buschmänner so wenige.‹«

Lorna Marshall.

»Beispielsweise müssen *wir* unbedingt dafür sorgen, daß die Schweine unbeschwert in den Tod gehen, weil sonst die Fleischqualität unter einem so hohen Adrenalingehalt im Blut leidet.«
Einer der fortschrittlichsten Schweinezüchter Dänemarks.

Immer öfter ertappt er sich beim Gedanken, daß es keine Rettung für die Menschheit gibt.

Ist das ein Versuch, die Verantwortung abzuwälzen?

Mit jeder Zurschaustellung verringert sich der Wert dessen, was du warst.

Einen Menschen schildern, der sich *weg*feiern läßt, bis nichts mehr von ihm da ist.

Verharmlosung durch Verehrung. Man wird reingewaschen, geglättet, keine schlechte Eigenschaft wird einem gelassen; selbst der Augenlose wird zum Strahlenden umgedichtet und der Bösartig-Mißtrauische wirft mit Gütig-keiten nur so um sich. Er sitzt am Coupé-Fenster und erleuchtet die Landschaft.

Ein Dichter, der immer nach der Mitte sucht, – ist das ein Dichter? Er moderiert, was immer an ihn gelangt, um sich in seinem Rahmen zu halten. Kann ein Leben, das sich so isoliert, von dem der anderen wirklich etwas wissen?

Die Abrundungen seiner Werke sind mir peinlich. Nie erfüllt er mich mit Entsetzen. Immer gelingt es ihm, den Leser zu beruhigen. Es fehlt ihm das Zuckende, Zerrei-ßende, es fehlt ihm Geschlagenheit und Wut, es fehlt ihm Bodenlosigkeit und Verfolgtheit. Seine Ironie ist behag-lich, sein Humor schlägt nie über die Schnur. Er ist gern mager und hält es für einen Vorzug.

Der echte Preiser vereinsamt, sonst ist sein Preis nichts wert.

Eine so merkwürdige Figur wie Walser hätte niemand erfinden können. Er ist extremer als Kafka, der ohne ihn nie entstanden wäre, den er mit erschaffen hat.

Kafkas Verwickelungen sind die des Standorts. Seine Zä-higkeit ist die der Gefesseltheit. Taoist wird er, um sich zu entziehen.

Walsers Chance war der erfolglose Vater. Er ist Taoist von Natur, er muß nicht erst wie Kafka zu einem werden.

Sein eigentliches Schicksal ist seine schöne Schrift. In dieser lassen sich gewisse Dinge nicht schreiben. Die Wirklichkeit paßt sich der Schönheit der Schrift an. So-lange diese ihm Glück bringt, kann er schreibend leben.

Als diese Schrift versagt, gibt er sie auf. Es ist möglich, daß er sie in den Herisauer Jahrzehnten fürchtet.

Robert Walser ergreift mich mehr und mehr, besonders in seinem Leben. Er ist alles, was ich nicht bin: hilflos, schuldlos und auf eine betörend läppische Weise wahrhaftig.

Er ist wahrhaftig, ohne auf die Wahrheit loszugehen, er wird zu ihr, indem er um sie herumgeht.

Es sind nicht die siegreichen und verständigen Arabesken Thomas Manns, der immer weiß, was er meint und es nur zum Schein umkreist. Walser *wünscht* sich Verständigkeit und kann sie nicht haben.

Er will sich klein, aber erträgt es nicht, der Kleinheit beschuldigt zu werden.

Verstellbare Zeitungen, immer dieselbe.

Verherrlichung durch Satire.

Dieses unzerstörbare Gefühl von Dauer, durch keinen Tod, durch keine Verzweiflung, durch keine Passion für die anderen, Besseren (Kafka, Walser) verringert: ich kann dem nicht beikommen. Ich kann es nur mit Widerwillen verzeichnen.

Es ist aber wahr, daß ich nur hier, an meinem Tisch, vor den Blättern der Bäume, deren Bewegung mich seit zwanzig Jahren erregt, ich selber bin, nur hier ist dieses Gefühl, meine schrecklich wunderbare Sicherheit intakt, und vielleicht *muß* ich sie haben, um nicht vor dem Tod die Waffen zu strecken.

Der Hohepriester, in seinen Begriffen banal, erklärt mir, daß ich in einem früheren Leben in China gelebt habe.

Ich zucke zusammen und für einige Tage ist mir China verleidet.

Diesem G., den du hier und da triffst, alle paar Monate mal, sagst du die persönlichsten Dinge und spürst, noch während du sie sagst, wie wenig sie stimmen.

Das liegt daran, daß er, der ein Dichter war, zum Priester geworden ist, ein sehr schöner Priester. Er hat einen Weg zu den Toten gefunden und verläßt sich darauf.

Was dir ein Gram ist, ist ihm eine Séance.

Ich kenne nur *eine* Erlösung: daß Gefährdetes am Leben bleibt, und in diesem Augenblick der Erlösung frage ich mich nicht, für wie kurz oder wie lang.

Manchmal überwältigt ihn das Gefühl, *daß nichts zu spät ist.*

So wäre er am ewigen Leben noch nicht verzweifelt?

Entkommen könntest du nur in eine andere Haltung zum Tod. Du kannst nie entkommen.

Blendung war das Mittel der Entmachtung in Byzanz. Aber Dandolo, der Doge von Venedig, der eigentliche Eroberer und dann Herr über drei Achtel von Byzanz, war *blind.*

Schriftsteller, die alles mit allem in Verbindung bringen, sind mir unerträglich.

Ich liebe die Schriftsteller, die sich begrenzen, die sozusagen unter ihrer Intelligenz schreiben, die vor ihrer Gescheitheit Schutz suchen, unterkauern, aber ohne sie wegzuwerfen oder zu verlieren. Oder die, für die ihre Gescheitheit *neu* ist, etwas ganz spät Erworbenes oder Entdecktes.

Es gibt welche, die sich durch Geringes erleuchten lassen, plötzlich: wunderbar. Es gibt welche, die unaufhörlich von »Wichtigem« erleuchtet werden: entsetzlich.

Einer wird dazu verurteilt, alle seine Briefe wiederzulesen. Bevor er weit kommt, trifft ihn der Schlag.

Er wirbt um meine Feindschaft, umsonst: ich nehme seinen Haß nicht mehr ernst.

Staunen über *jedes* Leben: ist das Erbarmen?

Dinge, die man eilig gedacht und leichthin gesagt hat, ohne sie je wieder zu bedenken, – darf man sie neben Ergebnisse stellen, die sich aus jahrzehntelangen Erwägungen und Prüfungen herleiten?

Eine Unermeßlichkeit, eine einzige, ist ihm geblieben: Geduld. Aber alles Neue muß der Ungeduld entstammen.

Ins Herz treffen willst du ihn? In welches?

Trügerisch die Vorstellung einer größeren Toleranz im Alter. Man ist nicht großherziger geworden, sondern nur für *anderes* empfindlich.

Jede Beleidigung sitzt. Aber er weiß nicht wo.

Er geht der Vergangenheit nach, als wäre sie nicht zu verändern.

Die Propheten fühlen die Bedrohung der Menschen durch Gott, die ihnen gerecht erscheint.

Heute, da die Menschen sich selbst bedrohen, verwirren sich die Propheten.

Es muß jeder ganz von neuem sich mit dem Tod auseinandersetzen.

Es gibt hier keine Regelung, die man übernehmen könnte.

Der letzte Mensch, auf den alle Götter ihre Hoffnung setzen.

Was wird aus ihnen, wenn sie ihn verloren haben?

Das Sieb seines Selbstbewußtseins.

Die Jugendgeschichte darf nicht zu einem Katalog dessen werden, was im späteren Leben wichtig wurde. Sie muß auch die Verschwendung enthalten, das Scheitern und die Vergeudung.

Man ist ein Betrüger, wenn man in seiner Jugend nur entdeckt, was man ohnehin weiß. Darf man aber sagen, daß jeder verlorene Ansatz einen Sinn hatte?

Wirklich bedeutungsvoll erscheint mir jeder Mensch, der in der Erinnerung noch da ist, jeder. Es quält mich, daß ich manche zurückfallen lasse, ohne über sie zu sprechen.

Manches finde ich nicht mehr, von anderem wende ich mich ab. Auf wie viel Wegen müßte man's noch versuchen?

Wie kommt es, daß ich nur in Angst ganz ich selber bin? Bin ich zur Angst erzogen worden? Ich erkenne mich nur in Angst. Einmal überstanden wird sie zu Hoffnung. Es ist aber Angst um *andere*. Geliebt habe ich Menschen, um deren Leben ich Angst hatte.

Das Wort »Kolchis«: sehr früh. Ohne »Kolchis« hätte mir Medea nichts bedeutet. Den Zusammenhang dieser Namen empfinde ich auch heute als wahr und berückend. Aber wenig einleuchtend finde ich, daß Odysseus zuerst durch Polyphem und Kalypso in mir entstand. Nausikaa hatte zu ihm beigetragen, für den Namen Penelope empfand ich während meiner ganzen Jugend Abneigung.

Ich glaube, es liegt an den Namen selbst, nicht an den mit ihnen verbundenen Geschichten. Bei Polyphem hat immerhin mitgespielt, daß Odysseus sich für ihn zum Niemand machte.

Menelaos war mir wegen seines Namens so lächerlich wie Paris. Tiresias fand ich herrlich.

Ich will den Namen der Odyssee nachgehen und ihre Ursprünge in mir finden.

Es gibt etwas wie eine private Etymologie, sie hängt von den Sprachen ab, die ein Kind früh kennt.

Gilgamesch und Enkidu waren für mich überwältigende Worte, sie sind mir erst mit 17 begegnet. Es ist möglich, daß die hebräischen Gebete, die ich früh sprach, aber nicht verstand, darauf von Einfluß waren.

Ich müßte alle spanischen Worte versammeln, die die frühesten waren und mir als solche bedeutend geblieben sind.

Die Züricher Zeit war eine Abwendung von allem

Romanischen, soweit es *gesprochen* wurde. Das Lateinische sprang nicht dafür ein, ich empfand es als künstliche Sprache, es war besonders der lateinische Vers mit seiner willkürlichen Verstellung von Worten, der mir damals widerstrebte. Die Prosa Sallusts gefiel mir und diente als Vorbereitung für den lateinischen Autor, der dann ganz in mich einging: Tacitus.

Daß ich Griechisch nicht lernte, war die größte Enttäuschung meiner Schulzeit. Ich empfand es als geistige Schuld, daß ich nicht mehr Eigensinn bewiesen hatte und den griechischen Weg mir versperren ließ. Von römischen Figuren liebte ich die Gracchen, als Brüder.

Zur Jugendgeschichte würde gehören, daß ich ernsthaft auf Namen und Worte als *solche* eingehe.

Erst durch den Schweizer Dialekt bin ich ganz zum Deutschen bekehrt worden. In der frühen Wiener Zeit blieb infolge des Krieges die englische Gesinnung vorherrschend.

In Rustschuk: das Wort »Stambol«. Die Worte für Gewächse: calabazas, merengenas, manzanas; criatura (Kind), mancebo, hermano, ladrón; fuego (Feuer), mañana, entonces; culebra (Schlange), gallina (Huhn, wegen dieses Wortes später Sympathie für die Gallier); zinganas (Zigeuner).

Namen: Aftalion, Rosanis, später Adjubel.

Ein Verachtungswort des Großvaters war »corredór« (für jemand, der bloß herumlief und nirgends fest saß). Er sagte es mit so viel Verachtung, daß mich das Wort, die Bewegung, die es enthielt, und Menschen, die immer in Bewegung lebten, früh faszinierten. Ich wäre gern ein »corredór« geworden, wagte aber nicht, es zu sein.

Deutsch hatte erst etwas Erschreckendes, durch die Art, wie ich es erlernen mußte. Der Stolz darauf, daß ich es dann doch konnte, wurde bald durch den Mißbrauch der

Sprache im Krieg beeinträchtigt. Durch *ein* Lied, beinah das einzige damals, wurde mir »Dohle« lieb, daran hänge ich noch heute. Das Interesse für Vögel, das später zu einer Passion wurde, hatte seinen Ursprung in diesem Wort »Dohle«. »Polen«, das sich in diesem Gedicht auf »Dohlen« reimte, – »sterb ich in Polen«, so hieß es, – wurde zu einem geheimnisvollen Land.

Das Schweizerische war für mich, – ich kam mitten im Krieg von Wien –, die Sprache des Friedens. Es war aber eine starke Sprache, mit Kraftausdrücken und sehr eigenartigen Schimpfworten, so hatte diese »Friedlichkeit« nichts Laues und Schwächliches, diese Sprache schlug um sich, aber das Land war im Frieden.

Das Englische blieb mir unantastbar, weil der Vater es mit solchem Entzücken gelernt hatte. Er sprach die Worte mit Vertrauen aus, als wären es Menschen, denen er glaubte.

Es hat ziemlich lange gedauert, bis ich die Überzeugung gewann, daß es keine häßliche Sprache gibt. Heute höre ich jede, als wäre es die einzige Sprache, und wenn ich von einer erfahre, die am Sterben ist, erschüttert es mich, als wäre es der Tod der Erde.

Nichts ist mit Worten vergleichbar, ihre Entstellung quält mich, als wären es schmerzempfindliche Geschöpfe. Ein Dichter, der das nicht weiß, ist mir ein unbegreifliches Wesen.

Aber eine Sprache, in der es nicht als erlaubt gilt, neue Worte zu bilden, ist in Gefahr zu ersticken: sie beengt mich.

Herausbildung des Rituellen beim Kind: Es muß alles genauso wiedergeschehen, wie es ihr bekannt ist, im selben Raum, mit denselben Menschen, auf dieselbe Weise. Sie bekommt Zornanfälle, wenn etwas in einem Ablauf sich ändert. Seit längerer Zeit schon reagiert sie sehr empfindlich auf Namen. Eine neue, scherzhafte Benennung fühlt sie als Schimpf. Sie schlägt um sich und fängt an zu weinen. Sie wiederholt den Namen, den sie kennt und mag, und fordert, daß man ihn ausspricht. Sie beruhigt sich nicht, bevor man ihn sagt. Am vertrauten Namen besänftigt sie sich und ist dann gleich wieder so ruhig, als wäre nichts geschehen. Ihre Emotionen folgen sich rasch und hinterlassen keine sichtbaren Spuren. Aber sie merkt sich doch alles und überrascht einen plötzlich mit Dingen, die sie vor Monaten gehört oder bemerkt hat und die seither nie wieder erwähnt wurden.

Sie weist mich manchmal aus ihrem Zimmer. »Soll in *sein* Zimmer gehen.« Da ich mich nie darüber aufgehalten habe, greift ihr Anspruch um sich: sie versucht mir das Vorzimmer, den Gang zu verbieten, so als hätte ich nur Anrecht auf ein eigenes Zimmer und sonst auf nichts.

Sie sagt zu allem erst »nein« und dieses Nein ist eine wahre Lust für sie geworden. Sie sagt gern Dinge, von denen sie weiß, daß sie falsch sind, sieht einen angespannt an und wartet ab. Wenn man dann mit einem emphatischen »falsch« herauskommt, lacht sie entzückt. Es ist ihr eine Freude zu hören, daß etwas »falsch« ist, und eine Freude, Falsches an uns auszuprobieren.

Tier – Christentum: Erbarmen mit den Menschen.

Gott ist vom Menschen unterbrochen worden.

Dort waschen sie sich in Blut und halten sich dafür Sklaven.

Ekel vor dem Gewicht von anderen, ihrer bloßen Fleischmasse. –

Und die eigene, wen ekelt sie?

Ist Wohlwollen für Menschen nichts als Selbstgefälligkeit?

Würde es genügen, daß sie ein Ohr weniger hätten, damit es schwindet?

Wieweit hängt dieses Wohlgefallen davon ab, daß sie einem gleichen?

Der Zögling der Parzen. Der Faden der Schwarzen Spinne.

Ein Glaube, der keinen Himmel kennt, für den der Himmel noch nicht von der Erde fortgerissen wurde.

Der letzte Vorschlag Klaus Manns: ein Massenselbstmord der Schriftsteller (der großen Namen).

In dieser Masse als einziger konnte er seinem Vater gleich werden.

Die Sterbelust hat er als Kind, er hat sie vom Vater. –

Ein einziges Mal habe ich Klaus Mann gesehen, er sprach über amerikanische Literatur, in Wien.

Jeder Satz war ihm davongerannt, bevor er ihn ausgesprochen hatte, er schien sehr leicht und eben darin unglücklich. Er sagte nichts, das nicht schon gesagt worden war, alle Sätze schienen ihm vorbesetzt, drum warf er sie weg und holte sich andere. Diese hatte er noch im Mund, da erkannte er auch sie als alte. Das war seine Erkenntnis, die Herkunft seiner Sätze. Seine Leichtigkeit war, daß sie ihm davonrannten. Für sein Leben gern hätte er sich mit einem Satz beschwert, der von ihm war. Für sein Leben, denn dann hätte er nicht sterben wollen. Aber es war ihm nicht gegeben, eigene Sätze zu erkennen. Vielleicht hatte er welche, er bemerkte sie nicht, nur die anderen bemerkte er unaufhörlich. –

Später saß man mit anderen zusammen, aber er saß eigentlich nicht, er rutschte hin und her, sprang auf, lief davon, wandte sich bald diesem, bald jenem zu, sah an ihm vorbei und sprach zu einem anderen, den er auch nicht sah, er schien niemanden sehen zu wollen, so viel sah er. Nichts, das er sagte, blieb einem, es war kaum bei ihm gewesen, wie hätte es dann bei anderen sein können: ich glaube nicht, daß er allein anders war, er war, denke ich, immer mit vielen und keinem.

Er ist zu alt, sich zu lieben. Er sieht von sich ab. Alles sonst sieht er. –

Es ist so wenig von Heraklit übrig, daß er immer neu ist.

Mit nichts fertig werden, anschlagen und offenlassen, oder ist das bloß ein Rezept des listigen Alten, der tausend Dinge aufmacht, um *sich* nicht zu beschließen?

Die Erlösungs-Wanderungen von Völkern, die ausgestorben sind, die eben daran gestorben sind wie Lemminge, ergreifen mich mehr als alle Gläubigkeiten, die sich behauptet haben.

Ich gebe den Gedanken nicht auf, daß sich aus einem einzigen Mythus mehr über die Natur des Mythus ableiten ließe als aus dem entstellenden Reihenvergleich vieler.

Wenn Gott das *Unbestimmte* wäre, würdest du ihm dann anhängen?

Solange er keine Sätze aneinanderreiht, glaubt er, er schreibt die Wahrheit.

Entdeckung eines Dokuments, das 50000 Jahre alt ist. Zusammenbruch der Geschichte.

Sein Sonderbund mit den Toten, die die Hoffnung noch nicht aufgegeben haben. Insgeheim läßt er sie kommen und nährt sie.

Aber manche drängen sich vor, die er gar nicht kennt, es sind die Toten *anderer*, sie sagen es offen: um uns kümmert sich niemand, – er hat nicht das Herz, sie zurückzuweisen und gibt ihnen mit seinen zu essen, die das ganz gern haben. Sie fragen einander aus, neue Freundschaften entstehen, man ist weniger wählerisch als zu Lebzeiten und man begnügt sich einfach damit, daß es Leute waren, vielleicht erwartet man auch etwas Neues über die eigene Situation zu erfahren.

Dieser B., der den Tod durch Selbstmord zu disziplinieren vorgibt. Bevor er alle davon überzeugt hat, daß das Beste der Tod ist, bringt er sich nicht um.

Das Wichtigste: Gespräche mit Idioten. Aber sie müssen es wirklich sein, nicht dazu von dir ernannt.

Es sind zu viele. Man stirbt am Übergewicht der Toten.

Ein Teil von ihm ist alt und ein anderer noch ungeboren.

Alles, was er nicht gesehen hat und wovon er weiß, hält ihn am Leben.

Einen Traum versöhnen.

Er sprach immerzu von Liebe und ließ niemand in die Nähe.

Philosophie der Knotenpunkte. Verdichtung ohne Verfälschung.

Sein Freund, der alles *rund* haben will und darum am Tode festhält.

Die Armut der Formen, in denen wir sind und die unendliche Vielgestaltigkeit der Geschöpfe.
 Selbst zur Aufzählung alles dessen, was es gibt, reicht kein Leben aus. Aber es noch kennen wollen!

Der Mut, immer wieder dasselbe zu sagen, bis es nicht mehr auszumerzen ist.

Das Neue sinkt in ihn ein wie in einen Morast. Sein Geist als Sumpf.

Niemand, der mir hilft, ich habe mir nicht erlaubt, einen Gott zu haben.

Jetzt können sie mir alle ihre Götter hinhalten und recht haben.

Aber ich wollte gar nicht recht haben, ich wollte herausfinden, wie man allein besteht.

Habe ich es gefunden?

Ich begreife sehr wohl, daß einer sich haßt. Was ich nicht begreife, ist, daß einer sich und die anderen haßt. Wenn er sich wirklich haßt, müßte es ihn nicht schon erleichtern, daß sie *nicht er* sind?

Sprich auf jede Weise zu dir, auch du bist eine Figur, aber wisse und vergiß nie, daß du *eine* Figur unter unzähligen bist, und jede hätte ebensoviel zu sprechen.

Man soll das Lob dazu verwenden, zu erkennen, was man *nicht* ist.

Die Bestimmtheit erster Begegnungen: Begeisterung oder Verdammnis. Für keinen neuen Menschen kann ich Lauheit oder Kälte aufbringen. Die Begegnung ist mein Vulkan.

Einer erkennt sich nicht mehr und atmet trotzdem weiter.

Er hat einen Tritt ins Licht bekommen. Ist er glücklich?

Immer häufiger lockt es mich, Worte zu sichten, die ich in mir trage, sie fallen mir einzeln ein, aus verschiedenen Sprachen, und ich wünsche mir dann nichts mehr, als über ein einziges solches Wort lange nachzudenken. Ich halte es vor mich hin, dreh es herum, ich behandle es wie einen Stein, aber einen wunderbaren, die Erde, in der er lag, bin ich.

Er gab sich selber das Trinkgeld, von der Rechten in die Linke.

Er hat mit seinen Abschiedsbriefen begonnen. Einige Jahre behält er sich dafür vor.

Dort darf man bis zu zwanzig Jahre seines Lebens verschenken, nicht mehr. Es ist ein wirkliches Opfer, denn man weiß nicht, wieviel Jahre einem übrigbleiben. Jede Liebe bemißt sich an der Zahl der verschenkten Jahre. Komplikationen des Austausches. Reue über verschenkte Jahre, wenn eine Liebe zu Ende ist. Verschwender und Geizige, alles mißt sich an Jahren. Mächtige setzen alles daran, sich Jahre zu erzwingen. Eltern, die Jahre für ihre Kinder zusammenbetteln. Kinder, die ihre Eltern durch Geschenke am Leben erhalten. Geburtstagsgeschenke als Lebenselixier.

Die Ehren beschämen ihn. Die Ehren treffen ihn ins Herz. Er braucht mehr Ehren, um über diese Scham hinwegzukommen.

Ein Tier zum Menschen betören.

Er sucht Sätze, an denen noch keiner gekaut hat.

1977

Es hat sich nichts in mir geändert, doch zögere ich manchmal, bevor ich den Namen des Feindes ausspreche.

Den Tod eines Tieres erleben, aber als Tier.

Am Leben so festzuhalten, – ist es Geiz? Wenn es das Leben anderer ist, – ist das erst recht Geiz?

Er sucht nach Einwänden gegen die Grundüberzeugung seines Daseins. Ist sie, gerade sie, die schlimmste aller Sklavereien? Wäre es leichter, alles Leben als zurückziehbares Geschenk zu betrachten? So daß nichts *zu* einem gehört, wie nichts einem gehört?

Wenn man ein gewisses Alter erreicht hat, kann man von *Wirkungen* nicht absehen, sei es, daß man sie nicht hat und darum zu verachten vorgibt, sei es, daß man sie hat, so sehr, daß man sie fürchtet.

Daß man keinen *machen* kann, der einen erhört!

Opferung gewisser Worte, – wenn das die Rettung wäre?

Um *ihren* Schmerz nicht zu vergessen, beißt er sich.

Eine Art des Verschwindens ausdenken, die den Tod bezwingt.

»Man schläft ein«, sagt er zum Kind, »aber man wacht nicht wieder auf.« »Ich wach immer auf«, sagt das Kind fröhlich.

Nun aber ist es sehr wohl denkbar, daß die ganze Herrlichkeit auf einen Schlag verschwindet.

Wo ist dann die Auflehnung, wo?

Wo alles ist, mit der Ergebenheit zusammen, mit Gott und seinem Willen.

Letzte Zuckungen in der Schrift.

Er will Worte finden, die kein Mensch vergißt. Sie sollen jedem gehören, der sie dem Tod entgegenschleudert.

Wenn du zu deiner Rechenschaft gelangst, so mußt du auch das bedenken:

Die Veränderung durch die Nähe des Todes, selbst wenn sie eine vermeintliche ist, die Intensität, der Ernst, das Gefühl, daß es nur auf das Wichtigste ankommt, was man ist, und daß es stimmen muß, daß nichts daneben gesagt sein darf, denn man hat keine Gelegenheit mehr, es richtigzustellen.

Wenn es nun wirklich gelänge, den Tod so sehr hinauszuschieben, daß man seine Nähe nicht mehr spürt, – wo bliebe dann *dieser* Ernst? Was könnte noch das Wichtigste sein, und gäbe es etwas, das an dieses Wichtigste heranreicht, das ihm gleichkommt?

Ich bin diese Rechenschaft schuldig. Ohne sie darf ich nicht verschwinden.

Sie ist das einzige, das *mir* zu nichts dienlich sein kann.

Diese Rechenschaft kann der Stärke jener Gesinnung gegen den Tod nichts hinzufügen. Sie kann sie, als Apologie, nur schwächen. Es ist nicht möglich, durch eine Verteidigung, das wäre es, dieselbe Wirkung zu haben wie durch einen gnadenlosen Angriff.

In dieser Rechenschaft, nur in ihr, wäre ich noch, was ich mein ganzes Leben zu sein versucht habe: ohne Zwecke, ohne Nützlichkeiten, ohne Absichten, ohne Verstümmelungen, frei, soweit ein Mensch es überhaupt sein kann.

Wer sich der Erfahrung des Todes zu früh geöffnet hat, kann sich nie wieder vor ihr verschließen, eine Wunde, die wie zu einer Lunge wird, durch die man atmet.

»Wehe dem Menschen, dessen Name größer ist als sein Werk.«

Weisung der Väter.

Deute nichts, erkläre nichts. Gib denen etwas zu tun, die sich den Kopf zerbrechen möchten.

Die neue Wollust: Ablehnung jeder Öffentlichkeit.

Jeder stützt sich zu sehr auf irgendwen, der aber auch strauchelt.

Sollte es nur auf die Zärtlichkeit ankommen, die man in Späteren weckt?
Auf erinnerten Atem und unverwirrte Worte?

Habe ich genug über das Überleben nachgedacht? Habe ich mich zu sehr auf den Aspekt beschränkt, der zum Wesen der Macht gehört und da ich darauf versessen war, andere, vielleicht nicht weniger wichtige Aspekte außer acht gelassen? Was kann man überhaupt denken, ohne das meiste auszulassen? Sind alle Erfindungen und Entdeckungen so zustande gekommen, durch das Auslassen des Wichtigsten?

Vielleicht ist das einer der Hauptgründe dafür, daß ich mein Leben schreibe, so vollständig wie möglich schreibe. Ich müßte Gedanken in ihre Herkunft betten, damit sie natürlicher erscheinen. Es ist möglich, daß ich ihnen dadurch einen anderen Akzent gebe. Ich will nichts korrigieren, aber ich will das Leben, das dazu gehört, zurückholen, heranholen und es wieder in sie einfließen lassen.

Der verleidete Kosmos. Der verluderte Kosmos.

Aus Wittgensteins »Vermischten Bemerkungen«: »Ich kann nicht niederknien zu beten, weil gleichsam meine

Kniee steif sind. Ich fürchte mich vor der Auflösung (vor meiner Auflösung), wenn ich weich würde.«

»Ehrgeiz ist der Tod des Denkens.«

»Der Gruß der Philosophen untereinander sollte sein: Laß dir Zeit!«

»In den Tälern der Dummheit wächst für den Philosophen noch immer mehr Gras als auf den kahlen Höhen der Gescheitheit.«

Der Selbstmörder, der seinem Ruhm entkommen will.

Der Trödler, der nie genug von sich kriegt, auch Ekel und Hinfälligkeit und vollkommenes Versagen sind eine Notiz wert und obwohl niemand je davon erfahren wird, – es täuscht ihm Kraft vor, sich zu beschimpfen.

Es ist wichtig in der Literatur, daß vieles verschwiegen wird. Es kommt darauf an, daß man spürt, wieviel mehr der Verschweigende weiß, als er sagt und daß er nicht aus Beschränktheit schweigt, sondern aus Weisheit.

Nichts ist erschütternder als das späte Verstummen eines Mannes, der einmal viel zu sagen wußte. Ich meine nicht das Verstummen der Weisheit, die aus Verantwortung schweigt. Ich meine das Verstummen der Enttäuschung, die das eigene Leben wie alle Vergangenheit für vergeblich hält. Ich meine das Alter, das nicht *mehr* geworden ist als alles, was früher war, das Alter, das lieber nicht gelebt hätte, weil es sich reduziert fühlt, nicht erweitert.

Die Tage sind zu Tropfen geworden, ein einziger jeder, es kommt nichts mehr zusammen, ein Jahr wie ein halbgefülltes Glas.

Das Ungeheure an Goethe ist seine *Verteilung*. Er entkommt immer wieder, aus seinen Lebenszeiten, und versteht es, seine Verwandlungen nicht nur rechtzeitig einzusetzen, sondern sie auch zu verwenden. Er nützt sein Neues und wendet sich gegen sein Altes nur in denen, die diesem zu treu anhängen.

Es ist etwas eminent Praktisches in ihm, das nichts übersieht und ungenützt läßt, schon darum erstaunlich, weil er immer ein Dichter bleibt und diesen verbirgt. Nie ist ein Dichter weniger Verschwender gewesen und eben die Geste des Haushälterischen ist es, was einen im späteren Leben am ehesten an ihm verdrießt.

Selbstzerstörung haßt er wie nur Verschwendung.

Der Altvater Jakob sprach: »Es ist wertvoller, Fremdling zu sein, als Fremde aufzunehmen.«

Weisheit der Väter.

Gefahr, daß man mit den wenigen neuen Gedanken auskommt, die man gehabt hat, keine anderen zuläßt und so in einer *unzureichenden* Welt operiert, die auf ihre Weise so falsch ist wie die andere, die man korrigieren wollte.

Kürzer, kürzer, bis eine Silbe übrigbleibt, mit der alles gesagt ist.

Doch das eigentliche Buch, das er sich schuldet, wäre länger als die Karamasows.

»Drum soll es Menschen gegeben haben, die beim Anblick eines weißen Seidenfadens klagten, weil sie dran denken mußten, wie bald er seine Farbe verändern werde, und andere soll es betrübt haben, daß sich an einer Kreuzung der Weg teile.«

Tsurezuregusa.

Menuett der Verdächte. Wechsle deine Feinde!

In der Musik *schwimmen* die Worte, die sonst *gehen*. Ich liebe den Gang der Worte, ihre Wege, ihre Haltepunkte, ihre Stationen, ich mißtraue ihrem Fließen.

Man kann unermüdlich ein und denselben Autor lesen, ihn verehren, bewundern, preisen, in die Wolken heben, jeden seiner Sätze auswendig kennen und immerzu sagen und doch völlig von ihm unberührt bleiben, als hätte er nichts von einem gefordert und überhaupt nichts gesagt.

Seine Worte dienen der Selbstvergrößerung des Lesenden, sonst bedeuten sie nichts.

Der besondere Ton der Aufzeichnungen, als wärst du ein gefilterter Mensch.

Alles was einer kann, müßte zur Verehrung Besserer führen.

Das Plötzliche belassen.

Alles was du nicht verstanden hast, geht später zweideutig auf.

Über den Tod schweigen. – Wie lange hältst du das aus?

Beim Nachtmahl fragte ich sie, ob sie gern die Sprache der Tiere verstehen möchte. Nein, das möchte sie nicht. Auf meine Frage: Warum nicht? zögerte sie ein wenig und sagte dann: Damit sie sich nicht fürchten.

John Aubrey, von jung auf an jeder handwerklichen Verrichtung interessiert, aber zugleich auch an den mündlichen Traditionen einer Welt *vor* Büchern.

Er verwirft nichts, was erzählt wird, er hört sich alles an, auch über Spuk und Gespenster, er kann sich nie genug erzählen lassen. Er verdankt anderen alles, Vater und Mutter nichts, hängt seinen Lehrern an, wenn sie nur genug wissen, Lernen und Erfahren ist ihm alles. Es ist die Zeit der englischen Spaltung (im 17. Jahrhundert), Bürgerkrieg herrscht im Land. Für die Leute des *einen* Buches hat er nichts übrig, da er *alle* Bücher liebt. Die Vergangenheit ist ihm etwas Berührbares, er stößt an sie auf der Jagd und entdeckt dabei die Kultstätte von Avebury.

Er hat die Neugier des modernen Menschen, in der Zeit nämlich, da die Moderne sich *erfand* und noch nicht zu einer Karikatur von sich abgestanden war. Diese Neugier gilt allem, sie macht keine Unterschiede, am größten ist aber doch die Neugier auf *Leute*, – was ihre Verschiedenheiten ausmacht, darauf kommt es ihm an, die Zahl des Personals, das Aubrey überliefert, ist unendlich.

Was er über Menschen verzeichnete, war immer ein Beginn, er ließ Platz für mehr, das später dazukommen konnte. Es blieb vielleicht bei einem Satz oder es wurden ihrer hundert, jeder gab etwas Konkretes und Merkwürdiges weiter. Was heute von jedem Dummkopf als Anekdote verächtlich gemacht wird, war Aubreys Reichtum. Man stelle sich nur diesen einzigen Band mit Nachrichten über vielleicht 150 Menschen vor, in dem mehr Substanz ist als in 20 Romanen.

Aubrey war nicht imstande, etwas fertig zu machen, seine eigentliche Begabung. Ein Teil von ihr wäre jedem zu wünschen, auch solchen, die sich's zur Gewohnheit gemacht haben, Arbeiten zu Ende zu führen.

Bei ihm ging es so weit, daß es eigentlich kein Buch von ihm gibt. Um so aufregender ist alles, was er aufschrieb, geblieben. Was am raschesten altert, sind die Abrundungen zu Büchern. Bei Aubrey blieb alles frisch. Jede Nachricht steht für sich selbst. Man spürt die Neugier, mit der sie aufgenommen wurde. Auf dem Papier noch erregt sie Neugier.

Es ist eine aufgeregte Nachricht, weil sie zu nichts anderem dient, sie ist ihr eigener Zweck, sie ist gar kein Zweck, sie ist nichts als sie selber. Aubrey, der sich von allen Seiten Unzähliges zusammenholt, das er verzeichnet, ist ein Anti-Sammler. Er reiht es nicht ein, er bringt es nicht in Ordnung. Er will überraschen, er will nicht einreihen. Es erinnert vielleicht an das, was heute eine Zeitung macht, aber es ist doch ganz anders. Denn er ist es allein, ein einziger, der die Nachrichten zusammenholt, und er legt sie nicht auf einen Tag an. Er will sie, im Gegenteil, bewahren. Was ihn wütend macht, ist, daß die Dinge zerstört oder vergessen werden. So regt er sich unermüdlich und bringt es fertig, daß Neuigkeitswert und Ewigkeitswert zusammenfallen.

Immer sagt er mehr, als er sagen will. Wie soll er's machen? Soll er *sich* reduzieren oder die Sätze?

Sehr spät ist er an seine frühen Luftwurzeln geraten.

Ein Hundskopf, verzweifelnd, fragt mich nach seinem Herrn. – Soll ich ihm die Wahrheit sagen?

Er hat sich in Gott verkrochen. Da fürchtet er sich am liebsten.

Menschen, die ein konspiratorisches Leben geführt haben: irgend einmal steigen ihnen die vergangenen Geheimnisse zu Kopf und blasen sie zu allem auf, was sie damals nicht verraten durften.

Es ist nichts entsetzlicher als Einzigkeit, o wie diese Überlebenden sich alle täuschen!

Er *faßt* das Schrecklichste nicht mehr: es hat seinen Griff aufgelöst.

Auf einem ganz bestimmten Vorsprung zwischen Gefahr und Gehobenheit läßt er sich nieder: da, nirgends anders, darf er schreiben.

Der versteigerte Tag.

Der Schreib-Betagte, seine zerlöcherten Buchstaben.

Verachtung Gottes für seine mißglückte Schöpfung. Eine Schöpfung, die auf Fraß gestellt ist, – wie soll sie glücken?

Er zog sich zu Draht aus und flocht sich zum Käfig.

Wärst du mehr gereist, wüßtest du weniger.

Meinungen bereiten, den Teig bereiten.

Poseidon, herrliches Wort. Donner des rettenden Meeres.

Früh erbarmte sich das Kind aller Namen der Tiere.

»Das traurigste Los hatten, nach der Versicherung des Thespesius, diejenigen, die schon von der Strafe befreit zu sein glaubten und nun aufs neue wieder ergriffen wurden. Dieses waren die Seelen, für deren Verbrechen noch ihre Kinder und Nachkommen hatten büßen müssen . . .

Thespesius sah einige, an die sich viele Seelen ihrer Nachkommen gleich den Bienen oder Fledermäusen angehängt hatten und sie schwirrend zernagten, aus Wut und Erbitterung wegen der ihretwegen ausgestandenen Leiden.«
     Plutarch, Über den Verzug der göttlichen Strafen.

Undeutlich werden, die Meinung verbergen, alles beinah sagen, zum Orakel verkommen.

Besuche erinnern ihn an sich.

Die Neugier läßt nach, jetzt könnte er zu denken beginnen.

Er geht nur noch unter Brücken, die er selbst gebaut hat, überall sonst vertreibt ihn die Angst.

Vielleicht ist es ihnen vergönnt, vor ihrem Untergang die Zahl aller künftigen Sterne zu bestimmen.

Der Mann, den er nach dem Weg fragte, wies in vier verschiedene Richtungen.

Brief umschreiben, nach wieviel Jahren.

Der Bleistift bahnt sich kräftige Wege durch den Sumpf des Alters.
    Der Bleistift bleibt nirgends stecken und verzagt nicht.

Er liest nur noch zum Schein, doch was er schreibt, ist wirklich.

Gedanken, die sich melden, wenn man sie braucht, stößt er von sich und verstaut sie in den Sack der Nützlichkeiten.

Gedanken, die plötzlich erscheinen, ohne daß ein Grund oder Sinn für sie erfindlich wäre, sucht er festzuhalten, bevor sie von selbst wieder untertauchen, seine Kostbarkeiten.

Aber mehr und mehr Gedanken, das muß er erkennen, haben ihren Grund in Angst allein. Wie soll er diese prüfen? Gilt ihr Gewicht?

Begriffe beleben, durch Gift.

Zeitungen, zum Vergessen des Vortages.

Er starb dem letzten Willen seines Geldes zuliebe.

Er glorifizierte den Krieg und erreichte ein Alter von hundert Jahren.

Ein Kind, das auf- und zugeht wie eine Blüte.

Soviel Raum, soviel Raum, er erstickt.

Ein Geist, in seiner eigenen Sprache karg. In anderen setzt er Fett an.

Er ist jetzt so ungefähr alles, was er verabscheut hat. Es fehlt nur, daß er den Tod herbeibittet.

Auch die Erinnerung wird ranzig. Beeil dich!

Seit ein Kind da ist, hat er *noch mehr* Zeit.

Einen Menschen der Vorzeit erfinden, seine Laute, seine Sprache, ihn so lange isolieren, bis er seiner selbst sicher ist; ihn dann unter die Heutigen einführen und ihn zum Herrn über sie machen.
 So war es.

Einer, der seine Tränen aufhebt, in einem Döschen, sie sammelt und zum Verkauf anbietet, als Heilmittel – wogegen?

Einer, der alles vermag, wenn man ihn auf Armeslänge fernhält, der völlig versagt, wenn man ihn näher an sich heranläßt.

Die Ewigkeit abgeschafft, wer mag noch leben?

Sind die Gegenstände deines Denkens für immer festgelegt, gibt es keine neuen Gegenstände?
 Es gäbe sie, doch du mißtraust ihnen.

Es ist ihm zumute, als bestünde er aus zehn Gefangenen und einem Freien, der ihr Aufseher ist.

Er lebt, um sich zu stören.

Er möchte schweigen, aber noch hören, und ohne zu sterben, verstummen.

Sätze, die ihn ins Herz getroffen haben, Sätze, die er sich nicht zugeben kann.

Gefahr des langen Lebens: daß man vergißt, wofür man gelebt hat.

Ein Ton, der nie verhallt.

Hast du vergessen, daß du's mit der Macht zu tun hattest, daß dir jedes andere Unternehmen unwürdig schien; daß du an Erfolg oder Mißerfolg dabei nicht gedacht hast, daß du es tun mußtest trotz sicherem Mißerfolg.

Durchsetzen, Erfolg, Sieg waren ihm die widerwärtigsten Worte. Jetzt sind sie ihm gleichgültig geworden. Schläft er?

Hatem der Taube.

Hatems des Tauben Mildtätigkeit war so groß, daß er zu einer Frau, die eines Tages zu ihm kam, um ihm eine Frage zu stellen, als sie im selben Augenblick einen Wind fahren

ließ, sagte: »Sprich lauter, ich höre schlecht.« Das sagte er,
damit die Frau sich nicht beschämt fühle. Sie hob ihre
Stimme und er antwortete auf ihre Frage. Solange diese
Frau am Leben blieb, an die 15 Jahre, stellte sich Hatem
taub, damit niemand der alten Frau sage, er sei es nicht.
Nach ihrem Tode antwortete er sofort auf Fragen. Bis da-
hin sagte er zu jedermann, der zu ihm sprach: »Sprich lauter.« Darum wurde Hatem der Taube genannt.

Farid al Din Attar, übersetzt von Arberry.

Schön wär's, ruhig an den alten Orten zu sein, schön auch,
an neuen zu sein, nach denen man sich lange gesehnt hat.

Am schönsten aber wäre es, sicher zu sein, daß sie nicht
zugrunde gehen müssen, wenn man nicht mehr da ist.

Ich kann diese Sorge um die Welt, wie ich sie gekannt
habe, nicht begreifen. War ich denn so zufrieden mit ihr,
habe ich sie gebilligt? Nie, aber ich nahm an, daß sie es in
sich habe, sich zu bewahren, indem sie sich verbessert. Ich
weiß nicht, woher ich diesen Kinderglauben bezog. Ich
weiß nur, daß er mir zäh und unaufhaltsam genommen
wurde. Ich weiß auch, daß ich entsetzlich bescheiden geworden bin. Wenn ich von Katastrophenängsten gepeinigt
werde, sage ich mir manchmal: vielleicht bleibt es wenigstens, wie es ist, vielleicht wird es nicht noch schlimmer.
Das ist das Höchste geworden, wozu ich mich kriegen
kann, und ich verfluche dieses erbärmliche Ergebnis eines
Lebens.

Bei Tag kann ich mir's noch sagen, bei Nacht höre ich nur
noch die Stimmen der Vernichtung.

Diese Empfindlichkeit für das Kommende, das man nicht schützen kann, nicht durch Hoffnungen, nicht durch Zweifel.

Ein Mensch, der nicht ein Zimmer aufgeben kann, in dem er gewohnt hat, – wie soll er einen Menschen aufgeben können?

Eine Welt ohne Klagemeute.

Die Vergangenheit wird auf alle Fälle zu schön. Man lasse sich die entsetzlichsten Vergangenheiten von Menschen erzählen, sobald sie sie erzählt haben, sind sie zu schön.

Die Freude und Genugtuung, daß man nach solchen Dingen noch lebt, färbt ihre Darstellung.

Er will keine Gedanken mehr, die zubeißen. Er will Gedanken, die den Atem erleichtern.

Das *letzte* Buch, das er liest: unvorstellbar.

Der kleine Stuhl, den das Kind mit sich herumschleppt. Überall, wo es im Wege wäre, setzt es sich darauf hin. Es wartet ein wenig, bis man kommt, sieht einen an, steht auf, hebt den kleinen Stuhl und trägt ihn weiter zur nächsten Schwelle.

Worte als Vorposten.

»Gefährlich leben« von damals, wie klingt es heute! Als würde sich jemand über die *alten* Gefahren lustig machen.

Unruhe der Gezeiten: wir.

Seit er es alles vergißt, weiß er viel mehr.

»Sie schloß sich in ein Zimmer ein, in dem sie Bilder hatte, und bettelte auch diese um Almosen an.«

Guzman von Alfarache.

Aus Angst vor Komplikationen blieb er Analphabet.

Er hat sich in Stücke geschrieben.

Er arbeitet, aus Angst vor seinen Händen.

Gefährlich die Offenheit für den Tod: man erlaubt sich nie, gegen ihn geschützt zu sein. Denn wenn man ihn nie, auf keinen Fall gelten läßt, wenn man es als Sünde betrachtet, ihn zu *erwägen*, wenn man ihn anderen so sehr verbietet wie sich, ist man jeder Drohung von ihm so ausgesetzt, als käme sie zum einzigen und zum ersten Male.

Man kann sich nicht sagen, so oder so, wie immer es

kommt, ich nehme es hin, nicht von mir hängt es ab, wie es kommt, nicht weiß ich, ob irgendwer darüber entscheidet; was immer sich abspielt, ist jenseits von mir, ich habe den Tod nicht hergeholt, wenn er kommt, ist es, weil ich ihm nicht wehren kann, an meinem Willen fehlt es nicht, wohl ist mein Wille gegen ihn stark, aber was kommt, ist stärker als ich, es gibt keine Kraft, die ihm gewachsen wäre.

Nichts von solchen Reden ist dir erlaubt. Das Fleisch deiner Seele ist offen und roh und bleibt es, solange es dir etwas bedeutet, am Leben zu sein, und das wird dir immer etwas bedeuten.

Welche Waffe bleibt dir demnach, gibt es irgendeinen Schild, den du vor die Deinen und dich hinstellen könntest, eine vornehme Rede, einen großmütigen Verzicht, eine erhabene Verzeihung für das Unrecht, das ihnen allen in dir geschieht, einen Gedanken, der es übersteigt, eine halbwegs sichere Wiederkehr, eine Verheißung und ein Vertrauen auf sie, eine Unabhängigkeit vom verfaulenden oder verbrennenden Leib, eine Seele, die mit geblähten Nüstern zu wittern wäre, einen Traum, der dauert, eine Hand im Schlaf, ein Bekenntnis, das der Drohung angemessen wäre, – nichts, es gibt nichts, und es beruhigt dich auch nicht, daß du *nichts* sagst, nichts, denn die Hoffnung, daß du dich irren könntest, ist niemals zu ersticken.

Spuren hinterlassen, zu wenig.

Im neuen Leben, das mit 75 begann, vergaß er den Tod seines Vaters.

Er kann »human« nicht mehr sagen, so sehr ist es ihm darum zu tun.

Das *Enge* der Natur ist in ihrer massenhaften Vervielfältigungskraft beschlossen. Sie erstickt sich selbst und wir sind nur ihre Schüler, wenn wir uns ersticken.

Manchmal ist ihm, als trüge er falsche, von Gott eingesetzte Augen.

Mächtige Freunde will jeder. Doch sie wollen mächtigere.

Es kommt heraus. Was? Was er sich immer zu denken gescheut hat. Soll es mit einer Liebeserklärung an den Tod enden? Holt er die Feigheit nach, gegen die er sich standhaft gewehrt hat? Schließt er sich den Psalmisten des Todes an? Wird er schwächer als die alle, deren Schwäche ihn ekelte? Wird er die Zersetzung würdigen, die seinen Bauch erfüllt und daraus des Gesetz seines Geistes machen? Alle Worte, die der Sinn und Stolz seines Lebens waren, widerrufen und sich zur alleinseligmachenden Kirche des Todes bekennen?

Es ist möglich, alles ist möglich, keinen elenden Selbstverrat gibt es, der nicht einmal Wahrheit wurde, so müssen statt der Geschichte der Worte *sie selber* gelten, unabhängig von allem, was danach oder zuvor war.

Wenn ich die Worte dieser für mich neuen Sprache lese, füllen meine eigenen Worte sich mit Frische und Kraft. Die Sprachen finden ihren Jungbrunnen *ineinander.*

Er setzt mir zu, den Hauptschlag gegen Freud zu führen.
Kann ich das, da ich doch dieser Hauptschlag *bin*.

Kein Massaker schützt vor dem nächsten.

Der Mann, der sein Gedächtnis verliert und dem sich alle
Menschen, die er kennt, zu etwas anderem verwandeln.

Sobald die Sätze von ihm *weg*laufen, wird ihm leichter.

Schreiben, bis man das eigene Unglück nicht mehr glaubt,
im Glück des Schreibens.

Die Angst in eine Hoffnung wenden. Schwindel oder Leistung des Dichters.

Suche, solange noch etwas in dir zu finden ist, erinnere
dich, gib dich der Erinnerung *willig* hin, verschmähe sie
nicht, sie ist das Beste, sie ist das Wahrhaftigste, was du
hast, und alles, was du in der Erinnerung versäumst, ist
verloren und *für immer* vorüber.

Sätze in *einem* Wort. Unendliche Sätze.

Ein Jahr lang hat er kein Adjektiv mehr gebraucht. Sein
Stolz, seine Leistung.

Das Lähmende der Lektüren in frühen Heften. Es ist besser, es ist richtiger, sich frei zu erinnern. Die alten Krücken sind für die Erinnerung störend, sie greifen ihr in die Speichen.

De Maistre lebt von sehr wenig Gedanken. Aber wie er sie glaubt! Selbst wenn er sie tausendmal wiederholt, *er* langweilt sich nie.

Zwei Tage der vergangenen Woche war ich ganz in de Maistre vertieft. Aber ich hab's nicht ertragen, *ich sprang heraus,* jetzt frage ich mich, was in den zwei Tagen passiert ist. Habe ich mich verändert? Er?

Ich weiß jetzt wirklich viel mehr über ihn, so viel, daß er mir völlig verleidet ist, vielleicht werde ich ihn nie mehr lesen können, auch nicht, wie früher, um seine Gedanken zu hassen.

Ob man umsonst gelebt hat, hängt davon ab, was aus der Welt wird. Wenn sie sich verschlingt, wird man mitverschlungen. Wenn sie sich rettet, hat man zu dieser Rettung etwas beigetragen.

Immer vorm nächsten Gedanken schlummert er ein. Will er ihn träumen?

Montaigne der Ich-Sager. »Ich« als Raum, nicht als Position.

Sie fragte mich, was ich von der französischen Literatur außer Stendhal noch liebe. Zu meiner Verwunderung fiel mir als erster Name Joubert ein.

Empfindlichkeit der Frage. Schon schämt sie sich der Antwort.

Der letzte *Baum*, eine Vorstellung so quälend wie der letzte Mensch.

In diesen Zerrissenheiten bin ich *ganz*. Ohne sie wäre ich verstümmelt.

Alle vergessenen Bücher, aus denen die bestehen, deren man sich entsinnt.

Störung durch jede Zurschaustellung in der äußeren Welt, mehr noch durch spätere Zeugnisse davon (wie Bilder, Bänder, die einen vorstellen sollen).
    Wie lebt ein Schauspieler, was *bleibt* ihm von *sich*?

Was dich an jedem Tier erschüttert, ist deine Unerreichbarkeit. Es könnte dich vielleicht essen, doch nie erschöpfen.

Das Wort »Tier« – alle Unzulänglichkeit des Menschen in diesem einen Wort.

Es wird nie mehr dasselbe sein, seit der Betastung der Sterne.

Worauf, das schon in der Höhlung seiner Hand liegt, kann der Mensch denn verzichten?

»Ein Augenblick in dieser Welt ist teurer als tausend Jahre in der nächsten.«

Nuri, bei Farid al Din Attar.

Es gibt keinen würdigen Tod. Es gibt, für die anderen, Tode, die sich vergessen lassen. Unwürdig sind auch sie.

Der »Ajax« des Sophokles: Ratlos über den »Ajax«. Es ist viel mehr daran, als ich begreife.

Das Abschlachten und Foltern der Tiere zählt für *uns,* nicht für den Dichter. Immerhin zählt die *Ehrlosigkeit,* denn die Tiere sind wehrlos, gegen sie kämpft kein Held.

Zwei große Augenblicke: Odysseus sieht und hört, was Ajax ihm zu tun gedenkt. Der, dem der Wahn gilt, erhält ihn vors Auge gerückt. Der zweite Augenblick ist der, in dem Ajax aus dem Wahn fällt und die wahre Natur seiner Opfer erkennt, der Held ist nur noch Metzger.

Aber diese beiden Augenblicke sind von solcher Gewalt, daß alles andere daneben abfällt. Der Streit ums Begräbnis, der Edelmut des Odysseus, wie ist das nichtig, gegen den Haß des Ajax gehalten, der *vor Odysseus,* den er nicht sehen kann, sagt, was er ihm zu tun glaubt!

Odysseus, der sich vor dem rasenden Ajax *fürchtet*, der vor der Göttin seine Furcht gesteht – herrlich! Könnte man noch sagen, daß er dem toten Ajax sein Grab verschafft, weil er sich vor ihm gefürchtet hat! Aber nein, er ist grabfromm! Das ist alles, und damit wirkt er irgendwie todergeben.

Ajax: die sichtbar gemachte Figur des Schlächters. Die Schlacht als *Wahn*. Die Angst des Helden (Odysseus) vor dem Schlächter, der ihn meint.

Die Ehrlosigkeit des Schlächters, der zu sich kommt, sein *Harakiri*. Der Kampf um die Ehre eines Grabes, die ihm bestritten wird. Das Enttäuschende an diesem letzten Teil des Dramas hängt damit zusammen, daß nach der Entlarvung des Helden als Schlächter kein Ehrengrab mehr glaubwürdig wird. Es ist, im frühen Anblick des rasenden Ajax, *zuviel* eröffnet worden. Es läßt sich nicht mehr beschließen. (Die Rolle der Göttin unwürdig und indiskutabel.)

Die eigentliche *Masse* des Dramas ist das geschlachtete Beutevieh.

Ungeheuerlich der Wahn des Ajax, der dieses Vieh als die Griechen sieht. Die Arroganz des Herrschers dann in den Worten des Agamemnon. Die Versöhnlichkeit des Odysseus zum Schluß, der für ein ehrenvolles Grab plädiert, entspringt der Erkenntnis dessen, was alle diese Helden sind: er hat den Schlächter am Werk gesehen und möchte trotzdem ein Grab für sich. Er gibt Ajax, was er sich selber wünscht und spricht das vor Agamemnon aus. Aber er tut noch etwas mehr: er zieht sich vom Begräbnis zurück, weil seine Gegenwart Ajax verhaßt wäre. –

Unheimlich ist das Wiederauftreten der von Ajax vermeintlich Geschlachteten: das beginnt mit Odysseus und endet mit Menelaos und Agamemnon. Es hat etwas von einer Wiederauferstehung. Im Wahn fälschlich Getötetes erweist, daß es am Leben ist.

Die Qualen, die dem Beutevieh zugefügt werden, weil es für Menschen steht. Ermüdung am Krieg, nach der Schlächterei. Ajax – soll er nach Hause fahren? Wie tritt er dem Vater entgegen? Die Väter bestehen auf Schlacht, das ist die Ehre des Kriegers.

Sehr unmittelbar und unverfälscht die Rolle der »Beutefrau« Tekmessa. Ihre Eltern, ihre Heimat zerstört, sie hängt an dem, dessen Lager sie teilt, er ist für sie Eltern, Heimat und Mann, alles. Das Klagen, seine Allgewalt, die Rufe der Klage. –

Wunderbar der Anfang: Odysseus' Suche nach der *Spur*, als Jäger pirscht er sich an den Schlächter heran, über den Gerüchte gehen. Athena, elende Göttin, die ihm ihre Unentbehrlichkeit beweist: sie ist besser als das Pirschen. Sie hat den Wahn über Ajax geschickt, weil er sich vermaß, auf ihre Hilfe zu verzichten.

Der »Ajax« ist am merkwürdigsten durch den *Bruch* darin, seine Unvollkommenheit, durch seine Zweigeteiltheit, in deren Mitte der Selbstmord steht.

Die Schlacht, die Schlachtung ist der als Wahn gestaltete Hauptteil. Vom Ehrengrab des Schlächters allein handelt Teil Zwei. (Wäre es denkbar, daß Sophokles, der im Krieg selbst kommandiert hat, über der Vision des schlachtenden, tötenden, folternden Ajax so sehr erschrocken war, daß er ihm zum Ehrengrab verhelfen *mußte*, seine Buße sozusagen für die Wahrheit der Schlacht, die er sah.)

Er sagt sich von allen großen Menschen los und erschleicht sich das Geschick des Kleinsten.

Die Entfernung, damals ein laufendes Band zwischen ihnen, jetzt stockende Verzweiflung.

Er sammelt verdurstende Einzelheiten.

Ich will nicht wissen, was ich war; ich will, was ich war, werden.

Neugier auf alle Arten Mensch ist noch kein Verdienst. Raum für sie alle ist noch kein Verdienst. Reichtum an Abwechslung ist noch kein Verdienst.

Eine grüne oder eine blaue Rasse zu unseren dazu ist ein sinnloser Wunsch.

Wenn die Völker das Wimmeln verlernen.

Wäre er damals nicht tot umgesunken, – wäre dein Glaube ein anderer? Und ebenso unveränderlich wie der, den du jetzt hast?

Wovon hängt es ab, was einer glaubt, so sehr glaubt, daß er andere damit ansteckt?

Kann man mit einem nicht ansteckenden Glauben leben?

Er sagt sich Wahrheiten, die es erst werden, wenn er sie aufschreibt. Er sagt sie für sich, in irgendeines der unzähligen Hefte, die verbrennen werden. Er weiß es und doch beruhigt es ihn, was er aufschreibt, als hätte es noch die alte, längst verlorene Aussicht darauf, zu bestehen.

Ohne Kompaß schreiben? Immer habe ich die Nadel in mir, immer zeigt sie auf ihren magnetischen Nordpol, das Ende.

Er hat die Hoffnung in Luft gekleidet.

Erschrecken über die entsetzliche Wahrheit der frühen Werke.

Eine Wahrheit, die so einschneidend ist, erlangt man später nie mehr. Man macht mehr Umstände.

Er hängt es an die große alte Glocke Gott.

Aber sind die neuen großen Glocken besser?

Sein winselndes Wissen.

Entschuldigungen, die keinen Verdacht erregen?

In einem Lande leben, wo *alle* Namen unbekannt sind.

Laß mich heimlich wiederkehren, ohne daß jemand es weiß.

Die Stunden schrumpfen. Jede ist kürzer.

Schrecklichstes aller Schicksale: Mode werden, bevor man stirbt.

»Reportern sage ich nie die Wahrheit.«

William Faulkner.

Immer mehr Alte machen es ihm vor; er bemerkt sie wohl. Noch immer bemerkt er nicht sich.

Räume wie eine falsche Haut, in denen man aus ihr fahren möchte.

Er hielt seinen Atem an und erblühte.

Der Gottverzehrer und sein Hunger.

Müßte nicht jedem ein Satz gelingen? Die Sätze derer sammeln, denen sonst nichts gelingt.

Alle Gedanken, die er gehabt hat, melden sich ab.

Sich der Verständlichkeit erwehren.

Sich den Zeitungen ausliefern; sie meiden. Flut und Ebbe der Unsicherheit.

Den tiefsten Eindruck, tiefer als die erste Landung auf dem Mond, hinterläßt ihm das Bild des Vulkan-Ausbruchs auf dem Juppitermond Jo.

Durch das Bild Nixons auf dem Mond wurde die Landung unglaubwürdig. Das Bild des aktiven Vulkans macht den Juppitermond wahr.

Géricault, der gar nicht aufsässige Sohn eines reichen Vaters. Beim frühen Tode des Sohns, mit 33, stellt sich heraus, daß kein Vermögen des Vaters mehr da ist. Auch ist der Vater altersblödsinnig geworden. Der folgsame Sohn läßt den Vater unversorgt zurück.

Du verzeichnest immer wieder, was Gedanken von dir bestätigt, – verzeichne besser, was sie widerlegt und entkräftet!

Von tausend Punkten weiterdenken, nicht von einem.

Man muß nicht jede Silbe eines Philosophen kennen, um zu wissen, worin er einem widerstrebt. Vielleicht weiß man es nach *einigen* seiner Sätze am besten, und dann immer weniger gut. Wichtig ist, rechtzeitig sein Netz zu erkennen und sich ihm zu entziehen, bevor man es zerreißt.

Man braucht fremde Rhetorik, den Abscheu vor ihr, um aus der eigenen herauszufinden.

So unsicher ist der Fortbestand der Erde, daß jede Leistung und jeder Gedanke, der ihn voraussetzt, zum tollen Vabanque-Spiel geworden ist.

Wie alt du geworden bist, um zur Unsicherheit zu gelangen! Es ist auch nicht die helle *epochë* der Skeptiker, deine Unsicherheit ist schwarz.

Er starb mit den Worten auf den Lippen: »Endlich weiß ich nichts.«

Er fürchtet sich davor, etwas *Neues* zu erzählen.

Besinnung aufs Ende: unerträgliche Sparsamkeit!

Denk viel. Lies viel. Schreib viel. Äußere dich zu allem, aber *schweigend*.

Kannst du ungestraft dein früheres Leben berühren?

Wann wird er endlich sagen: weg damit! weg mit dem ewigen Leben!

Du sagst immer dasselbe. Es ist zu einfach. Kannst du nicht *einmal* das Gegenteil sagen?

Ein Hundertjähriger, in seine Auszeichnungen gekleidet, legt sie alle ab und geht nackt.

Einer beschließt, die Griechen aus der Welt zu schaffen, von Anfang an.

Es bleibt übrig: ein Gestammel.

Ich kann an *eine* Stadt nur denken, weil ich *andere* Städte gekannt habe.

Waren es die Griechen, die zuerst von Stadt zu Stadt gedacht haben?

Ich bin in das Alter des Überlebenden vorgerückt. Den Abscheu davor habe ich mir selber eingebrockt. Es ist nicht möglich, älter als andere zu sein, ohne mehr und mehr zum Überlebenden zu werden; es sei denn, man brächte es fertig älter zu werden, nur indem man andere in dieses selbe Alter *mitzieht.*

Wunderbare Vorstellung.

Löst du nicht alles auf, indem du das Persönliche nachlieferst? Findet man heraus? – Die Gefahr einer Lebensgeschichte.

Gestern nacht las ich *Lear,* nach sehr langer Zeit. Ungeheuer Eindruck, wie in meinen frühesten Jahren. Die »ritterliche« Hochsprache, an die man sich gewöhnen muß, ist bald vorüber, sie ist auch dem anfänglichen Hochmut, der Überheblichkeit Lears angemessen. Daß Cordelia nicht sprechen kann, daß sie die aufgeblasene Sprache ihrer Schwestern nicht findet, daß sie bis zu »nichts« verstummt, wirkt so, als würde sich die Hochsprache in ihr aufheben. – Die Veränderung der bösen Schwestern erfolgt *gleich,* es ist eine Demaskierung, nicht eine Entwicklung. Der Intrigant, Glosters natürlicher Sohn, ist sehr schwarz und die Vollkommenheit seiner Verstellung ist das einzig Konventionelle im Stück, aber da er zu seinesgleichen, zu den Schwestern findet, da er ihnen beiden angemessen ist und sie um ihn kämpfen, entsteht aus den drei ein rechter eigener Kern, ein glaubwürdiger kompakter Teil des Ganzen.

Das Stück ist von vielerlei Verstellungen erfüllt, auch solchen von »Guten«. Es gibt eine Szene, die zum Wunderbarsten gehört: Edgar, der – ihm unbekannt – seinen geblendeten Vater zum Felsen von Dover führt, er will sich von dort hinunterstürzen. Edgar ist der »gute« Sohn, aber falsch verdächtigt, er ist geächtet und hat sich als irrer »Thoms« verstellt. Seine Nacktheit ist seine Verkleidung so sehr wie seine Sprache. Gloster (der Vater), der seine Augen verloren hat, will nicht mehr leben und der Sohn, dem er schlimmes Unrecht angetan hat, soll ihm als mitleidiger Fremder und Führer dazu verhelfen. Beide sind auf das furchtbarste beleidigt und gequält worden. Doch der Sohn spielt dem Vater den Ort des Todessprungs vor, schildert ihm den Blick in die Tiefe, redet ihm ein, daß er in den Tod gesprungen ist und schildert ihm zuguterletzt den Blick in die Höhe hinauf, wo er noch eben vor dem »Sprung« gestanden sei. Auf diese Weise will er ihn vom Selbstmord *kurieren*. Scheinbar widersteht er ihm nicht, scheinbar läßt er ihn gewähren und führt den Blinden so an des *Ende* seines Selbstmordes, durch dessen Mißlingen. Über die Verhinderung von Selbstmord durch seine scheinbare Ausführung gibt es nirgends etwas Weiseres, und es war mir bis zur gestrigen Nacht nicht bewußt, daß dies einer der Gründe für meine Liebe zu »König Lear« ist.

Was mich aber nie verlassen hat, seit dem Jahre 1923, als ich das Stück 17jährig zum erstenmal mit Verständnis las, war das *Nebeneinander* der Figuren in ihrer Sprache auf der Heide. Da ist einmal Edgar, der sich zum Irren verstellt hat und nun außerhalb *jedes* Begreifens steht; Lear im Sturm auf dem Weg zum Wahnsinn, dessen Entstehung man von Anfang zu Ende miterlebt; da ist Kent, der treue Gefolgsmann, der sich nie zu erkennen gibt, und um nicht erkannt zu werden, eine *andere* Sprache führt. Da ist auch, mit Unterbrechungen, Gloster, die Verbindung zur Welt des Bösen, auch er unerkannt. Alle Grade der Geheimhaltung sind vertreten und durch die Art der Sprache ausgedrückt. Hier kann man wohl von akustischen Masken sprechen. Was ich später so bezeichnet habe, ist hier vorgebildet und ich weiß auch, daß ich seither mich immer *darauf* berufen habe.

Der Tod in diesem Stück ist unverhüllt er selbst. Cordelia, die Gute, stirbt unmittelbar nach ihren bösen Schwestern. Es wird kein Unterschied gemacht und niemand bleibt am Leben, bloß weil er es verdient hätte. Als letzter stirbt der Älteste, Lear selbst. Das Furchtbarste hat er so lange ausgehalten, nach allem, was vorangegangen ist, hat sein Tod etwas Friedliches. Die Bösen haben einander zuvor gegenseitig vernichtet, das einzige Vorrecht der Guten ist, daß sie es vor ihrem Ende noch erfahren.

Zum Wiedersehen gehört die glückliche Erregung darüber, daß etwas *noch da* ist.

Das Einmal-Gesehene existiert noch nicht. Nicht mehr existiert das Immergesehene.

Die Verschiedenheit, die man anderen *ankreidet*, als hätten sie sich zum Gleichsein verpflichtet.

Tot ist man nicht einmal mehr allein.

Lesefrüchte eines Analphabeten.

Wenn ich in »Fackeln« meiner Sklavenjahre blättere, packt mich das Grauen. So muß jedem Freigelassenen zumute sein.

Eine Atmosphäre verfälschen, durch Sicherheit.

Bruderkuß zwischen Tintenfischen.

Ein Tag, der in seine erste Stunde verwickelt bleibt. Er geht nie zu Ende.

Sie haben uns gesehen. Wir werden es nie erfahren.

Er lernt nichts mehr. Er lernt nur besser vergessen.

Er küßte ihren letzten Gedanken und entschlief.

Das Treiben der Nachfahren. Ihr Wohlgefallen an ihrer Dankbarkeit.
  Sie wissen nicht wofür.

Ihn ekelt das Lob, doch er hört sich's gut an.

Es ist sehr schön, sein Leben – nicht als Archivar – zu wiederholen.

Er ging in mich ein. Ich sah ihn nie wieder. Er schnappte nach Luft. Er ging nie mehr fort. Hätte er sich befreit, ich hätte seiner gedacht.

Es kommt nur darauf an, daß etwas zu Erinnerung *er-nannt* wird, damit man es ernst nimmt.

Es geht mir nicht um seine Abschaffung, die nicht möglich sein soll. Es geht mir um die *Ächtung* des Todes.

In drei Tagen habe ich mehr neue Menschen gesehen, als sich in einem Jahr schildern ließen. Die üppigsten Zeiten widerstreben der Sprache am längsten. Karge Zeiten bestehen auf Worte.

Alles Englische wird mir wichtiger, aber nur in der Sprache. Auf die Menschen beziehe ich mich wenig, doch die Worte ergreifen mich wie die einer verlorenen Sprache.

Noch scheint es mir unerläßlich, dort zu sein, wie eine zwingende Pflicht; doch vielleicht würde die Sprache genügen.

In *einer* Sprache allein werde ich nie sein können. Ich bin darum dem Deutschen so tief verfallen, weil ich immer auch eine andere Sprache fühle. Es ist richtig zu sagen, daß ich diese *fühle*, sie ist mir nicht etwa bewußt. Aber ich bin freudig erregt, wenn ich auf etwas stoße, das sie heraufholt.

Einer, der nur lernt, was er kauft.

Daß man wirklich gehen wird und nichts ist geschehen, und man hat nichts getan und nur manchmal gesehen, was zu tun gewesen wäre.

Es ist nicht möglich, sich den eigenen Tod auch nur *vorzustellen*. Es scheint unwirklich. Es ist das Unwirklichste. Warum hast du es immer Trotz genannt? Es ist ein Mangel an Erfahrung.

»According to the defense experts World War three will last at most half an hour.«

Weil man immer daran denken muß, denkt man *mehr* an anderes.

Womit darf einer zufrieden sein, solange das bevorsteht? An wen sollen Gläubige sich noch wenden? Welcher Freiheit zu Ehren trumpfen Ungläubige auf?

Sag nicht, daß es vorübergehen könnte! Denn es wird immer dasein, die Drohung der letzten vierhundert Jahre, zur Lawine geschwollen, die schwerer und immer schwerer zu Köpfen der Lebenden hängt.

Mit dem Lesen ist es jetzt so, daß es nichts mehr erreicht. Es ergreift nichts. Es gleitet ab im Nebel.

Vergilbte oder erfrorene Gedanken.

Die Offenheit des Lügners.

Kürzer, immer kürzer, bis er sich nicht versteht.

»Rahab verführte jeden Mann, der nur ihren Namen aussprach.«

Keine Möglichkeit, das Leben mehrerer Menschen zu *einem* zu addieren?

Ein Ort, an dem jeder einen kennt, doch man selber kennt niemand.

Nach einem Leben voller Furcht gelang es ihm, ermordet zu werden.

Den Punkt verzeichnen, an dem man den Tod hinnimmt.

Moral ist eng, wenn man an sie *stößt*. Die wirkliche Moral ist einem zum Knochengerüst geworden.

Das Drohen mit dem eigenen Tod, eines der wichtigsten Lebens-Mittel unter Menschen.

Einer der viel an den Tod denkt, kann ihn nicht immer verschweigen. Wie macht er es, daß er nicht damit droht? Soll er eine eigene Unsterblichkeit *vorspielen*, ohne an sie zu glauben? Soll er in der Gebrechlichkeit des Alters Gesundheit und Kraft heucheln? Wie spielt man Gesundheit? Wie täuscht man Kraft vor?

Ein unbenanntes Stück Erde suchen. Es gibt keins.

Das oft Erzählte beginnt an Homer zu erinnern, weil es am öftesten erzählt wurde.

Ein »moderner« Mensch hat der Moderne schon darum nichts hinzuzufügen, weil er ihr nichts entgegenzusetzen hatte. Die Angepaßten fallen ab von der toten Zeit wie Läuse.

In Erinnerungen gibt es vieles, das man schon öfters erzählt hat, das im Laufe der Jahre seine feste Form bekommen hat, das sich nur wenig ändert, man könnte es die Überlieferung eines Lebens nennen.

Es gibt anderes, an das man nie wieder gedacht hat, das erst durch den Prozeß des Schreibens hervorgelockt wird und es erscheint nun, im Augenblick, da es sich aufschreibt, so frisch und neu bemalt, daß man eben um seiner Lebendigkeit willen ein wenig an ihm zweifelt. Doch weiß man noch im Zweifel, wie sehr es wahr ist und es ist bloß die Kühnheit und Unumstößlichkeit, mit der es sich ausbreitet, die den Zweifel veranlaßt: wie *kann* etwas in jeder Einzelheit so sicher sein, an das man nie zuvor gedacht hat?

Manche erwarten von einem, daß man den Zweifel, dem man so wenig recht gibt, ausspricht. Man soll *sagen*, daß man gezweifelt hat, auch wenn das für die Entstehung der Erinnerung gar keine Bedeutung hat. Denn diese ist ganz plötzlich und mit absoluter Sicherheit da, und der Zweifel meldet sich erst, *weil* sie so sicher war, ein völlig einflußloses Nebenprodukt, ein Vorgang im Energie-Haushalt und mit der *Gestalt* der Erinnerung in keiner Weise verbunden.

Oft sind es eben die, die zu glauben wissen, woran man sich zu erinnern hätte, die ein Hervorheben des Zweifels und ein längeres Verweilen in ihm von einem erwarten, als ob der, der die Zweifel ausspinnt, ebendeswegen wahrhaftiger wäre. In Wirklichkeit ist er nur schwächer und kommt den Zweifeln der anderen durch eigene zuvor. Was er zu diesem Zwecke aufputzt, ist die Unwahrheit, er wagt es nicht, den anderen ungeschminkt, durch Zweifel ungeschminkt, entgegenzutreten.

Die Irreführungen des Kindes bereiten den Erwachsenen Lust. Sie halten sie für notwendig, aber sie haben ihren Spaß daran. Sehr rasch kommen ihnen die Kinder drauf und üben das Irreführen selbst.

Das Ansteckendste an der Bibel: das auf Gott konzentrierte Lob.

Von der Zukunft eines Kindes weiß man nichts: darum versuchen viele Eltern, Kinder in bestimmte Berufe, ihnen vertraute Tätigkeiten zu locken. Sie wollen mehr von ihrer Zukunft absehen können. Wenn es ihnen gelingt, sie sich gleich zu machen, meinen sie zu wissen, was mit ihnen geschehen wird.

In Wirklichkeit kann alles geschehen, denn nichts von den äußeren Umständen, unter denen das Kind einmal leben wird, kann bekannt sein.

Prophetie ist übelwollende Täuschung. Die Macht des Propheten liegt im Übelwollen. Alle Übertretungen erfüllen ihn mit Mißgunst. Er vermag sie nicht ungeschehen zu machen und hängt an jede eine Drohung. Soviel Übertretungen, soviel Drohungen, es gibt leider mehr als genug. Kann man sich etwas Ekleres aussinnen als einen Propheten?

Aber warum nennst du die Propheten Täuschung? Die Besessenheit des Propheten ist seine Legitimation, und seine Drohung nimmt er ernst.

Die Täuschung liegt im Glauben an seine Berufung, sie beginnt mit Selbsttäuschung. Doch wenn er einmal Gehör gefunden hat, wird ihm jede Täuschung recht sein, die ihm weiter Gehör verschafft. Er ist seiner eigenen warnenden Stimme verfallen.

Er frug mich so lange, bis er vergaß, wer ich war.

Er zählt meine Feinde.

Leute, die über den Tod schreiben, als wäre er längst vorüber.

Ein anderer sein, ein anderer, ein anderer. Als anderer dürfte man auch sich wieder sehen.

Der letzte Bleistift ist aufgegessen.

Einer, der nur noch am Leben bleibt, weil er beleidigt wurde.

Ein Walfisch voller Gläubiger.

Ich weiß nicht, was es mit der Wahrheit auf sich hat. Ich fühle, daß mein Leben sich an ihr aufzehrt.

Wo flieht meine Wahrheit hin, wenn ich starr daliege, um ihr Schicksal bange ich, nicht um das einer Seele.

Die Bürde des »Bedeutenden«: Demutspäckchen.

Selbst wenn der Kopf wieder klar sein sollte, es langt damit nur noch zu Orakeln.

Trauer, *obwohl* es vergeblich ist? Wäre das ihr Sinn?

Ein Mensch, der noch nie einen Leichenzug bemerkt hat.

Erkenntnisse, die man nicht *gewagt* hat. In einer Art von Vorhölle sind sie steckengeblieben.

Um allein zu bleiben, stellt er sich zittrig.

Eine Meute von Gähnenden.

Ich glaube nicht, daß irgendwer weiß, was Worte sind. Auch ich weiß es nicht, aber ich *spüre* sie, sie machen mich aus.

Alle Werke, die er angekündigt hat, hat er bloß angekündigt, um *andere* zu schreiben.

Er ist glücklich nur, wenn er liest. Er ist noch glücklicher, wenn er schreibt. Am glücklichsten ist er, wenn er liest, wovon er noch nicht gewußt hat.

»Ganz von vorn« gibt es nicht mehr. Die Wasserscheide ist überschritten.

Er sagt dasselbe, aber sein Atem dampft anders.

Es hilft nichts, sich zu sagen, daß man sich nichts Neues mehr merkt: auf den scheinbaren Anstoß mit dem Alten in einem kommt es an, dieser Anstoß ist das letzte, was sich ereignet.

Vielleicht geht es dabei nur um die Belebung des Alten, das brachliegt, durch die Stöße wird es geweckt. Auch wenn sich nichts mehr in ihm verändert, es gerät in Bewegung.

Über Namen habe ich noch nicht *begonnen*: ich weiß über Namen nichts. Ich habe sie erlebt, das ist alles. Wüßte ich wirklich, was ein Name ist, ich wäre meinem nicht ausgeliefert.

Zu den Mächtigen zu gehören, ist bitter, auch wenn man nur in der Zukunft zu ihnen gehört, nach seinem Tode.

Man wünscht sich wohl Lob, aber begierig ist man auf Feindschaft.

So sehr bist du jetzt dagegen, auch die dreißiger Jahre zu fassen (wie die zwanziger Jahre zuletzt), daß es dir sicher bevorsteht.

Wenn du etwas um keinen Preis tun willst, steht es dir schließlich bevor.

Mit seinem frühesten Leben hat er sich Gehör für das Spätere verschafft.

Nicht zu Unrecht, denn mit großer Kraft hat es damals schon alles eingesetzt.

In jeder Form war der Tod da: als Bedrohung, Errettung, Ereignis und Klage, als immerwechselnde Schuld über Jahre. So hat er die Stärke gewonnen, ihn von sich zu stoßen. So schiebt er ihn bis zum heutigen Tage vor sich her.

Der Ehren-Schneider.

Jetzt wird das Lernen herrisch, nämlich vergeblich.

Der singende Unflat.

Er läßt die Worte ein Jahr lang rasten.

Immer rätselhafter werden mir Tiere, vielleicht weil ich glaube, daß ich von Menschen etwas weiß.

Ich vermag von nichts abzusehen, von nichts, das lebt.

Die Betrachtung, die unerwartete Betrachtung: ein Orang-Utan nahm ihm die Angst. Das Andere, das wichtiger, merkwürdiger, unbegreiflicher war als man selbst.

Soll man nichts wissen wollen? Das kann man nicht. Soll man nicht mehr wissen wollen? Dazu ist man zu sehr im alten Trott. Mehr und mehr verlieren, zusehen, wie man vergißt, aufatmen über eine Freiheit, die vor einem erscheint, freudig auf sie zustolpern, denn man kennt sie nicht, und leichter werden und lächeln und wie in Silben atmen, denn Worte sind schon zu lang.

Ich bin zu den Tieren gegangen und bin an ihnen wieder erwacht. Es macht nichts, daß sie ebenso gern *essen* wie wir, denn sie reden nicht darüber. Ich glaube, es wird das letzte, das allerletzte in meinem Leben sein, das mir noch Eindruck macht: Tiere. Ich habe nur über sie gestaunt. Ich habe sie nie erfaßt. Ich habe gewußt: das bin ich, und doch war es jedesmal etwas anderes.

Was denn hat dich am Leben, das du doch gekannt hast, begeistert? Daß es sich nicht vergißt.

Die Namen von Städten, und wie sie im Alter dringlicher und herrlicher werden.

Briefe, wie Scheuklappen.

Wieviel Tote hält man aus, wenn man sich der Niedrigkeit des Überlebens ein für allemal verweigert hat?

Er spricht zur Sonne, und das Kind hört zu. Jetzt spricht das Kind und er hört die Sonne.

Ein Mann, der nie ein Wort gemacht hat. Er ist nicht stumm, aber er macht nie ein Wort. Kostet es ihn Überwindung? Fällt es ihm leicht? Nie ein Wort, nicht ein einziges. Er hört, was man ihm sagt, und was er mag, nimmt er an. Was er nicht mag, beschweigt er. Ein Mann, so glücklich, daß ihm nichts etwas anhaben kann: er hat kein eigenes Wort zu fürchten.

Der Fürchterliche sucht sich fürchterliche Vorfahren.

In meiner Lebensgeschichte geht es gar nicht um mich. Aber wer wird das glauben?

Vorausschlafen, für eine zweite Hälfte des Lebens, in der man nie mehr schläft.

Einer, der sich nach siebzig Jahren *aller Briefe* entledigt. Was bleibt von ihm übrig? Die Dokumente dieses Lebens sind seine größte Fälschung. Es gibt nichts Schwereres, als trotz dieser Fälschung der Wahrheit auf die Spur zu kommen.

Soll man es Faulheit nennen, daß man alle Teile von sich, wo immer sie sich finden, zerstreut liegen läßt?

Eine Sekte mitten entzweischneiden.

Jedes Unvollendete war besser. Es hielt dich schwebend und unzufrieden.

Dem Atem zuliebe verfiel er wieder ins Erzählen.

Kein Gedicht kann das wahrhafte Bild unserer Welt sein. Das wahrhafte, das entsetzliche Bild unserer Welt ist die Zeitung.

»Und aus dem Bunde der Wesen schwindet der Tod.«
                                        Hyperion.

Er verabschiedet sich von den Göttern, das ist das Schwerste.

Er steckt voller Wissen. Er weiß nichts. Noch immer will er wissen.

Der Riesenschädel des Olmeken: Raum für einen Kalender.

»He is a lesser figure than X« – wie gern ein Engländer so etwas sagt! Und denkt nicht, in welchen Keller er dann selber käme, eine Assel.
Kritiker, um »minor« und »lesser« sagen zu können.

Ruhm addiert sich zu Ruhm, aber die Armen bleiben arm.

Zum Frühstück die Tasse Tränen.

Der wahre Kritiker, der sich an seinem Gegenstand verjüngt.

Kleiner Mann wechselt Pferde.

Beinahe hätten sie ihn umgebracht: mit dem Wort »Erfolg«. Aber er nahm es entschlossen in die Hände und zerbrach es.

Zu den Worten, die du wie die Pest gemieden hast, hat immer »Objekt« gehört. »Subjekt« war dir geläufiger.

Das Belebende Gogols ist seine Herzlosigkeit. Sie ist so groß wie seine Angst. Er verhöhnt, um ihr zu entkommen, doch seine Angst schläft nie.

Es fällt mir nicht schwer, mich betrügen zu lassen. Doch fällt mir schwer, nicht merken zu lassen, daß ich's weiß.

Jetzt sieht er andere sein Leben befingern. »Bestien«, sagt er und hält sich für keine.

Im kürzesten Satz entschlafen.

Der Ruhm fegt doppelt heran, was die Mißgunst beschneidet.

Selbst das Erkannte, das Gewollte und Gewonnene entgleitet. Es ist, als lasse man alles zu Boden fallen. Man entläßt, was immer zu einem gehört hat und überantwortet es der Schwerkraft der Erde.

Sich der Versprechungen entsinnen, man hat im Lauf eines Lebens viele gemacht und ohne sie zu erfüllen, vergessen.
   Wenn es gelänge, sie zu wecken, wäre man wieder am Leben.

Mit allem, was einem teuer war, mit allem, was man verehrt und hoch über sich gestellt hat, wird man schließlich verglichen. Alter heißt das.

Versuch, sich aus einer Kostbarkeit in etwas Wertloses zu verwandeln.

Einschmeicheln bei den Toten. Ob sie's spüren?

Liebesbriefe an eine Schrift.

Man braucht Zeit, um sich von falschen Überzeugungen zu befreien.

Geschieht es zu plötzlich, so *schwären* sie weiter.

Er braucht einen Ort, wo er dafür bedauert wird, daß er es zu nichts gebracht hat.

Er saugt sich an den Werken anderer fest, doch gelangt er nie an ihr Mark. Wichtig ist ihm, *über wen* er sein Falsches sagt, nicht, daß es falsch ist.

Huldigung, nicht zu spät.

In Genf, schon während der Lesung, war mir in der ersten Reihe ein kleiner, sehr bleicher, beinahe weißer Mann aufgefallen, alt, ungeheuer gespannt, auf die einzige Weise alt, wie ich es liebe, nämlich *mehr* am Leben, um alle Jahre mehr, aufmerksamer, unnachgiebiger, erwartungsvoll und bereit, so als wäre es seine Aufgabe, über das meiste noch zu entscheiden und ja nichts auszulassen. Kein Messen mehr, sondern die Sache selbst, die Gedanken, Wendungen, Windungen, Schläge. Der Saal war voll, es war kein Platz frei, ich bemerkte wie immer beim Lesen viele Gesichter, aber wieder und wieder kehrte ich zum übernatürlich weißen Kopf vor mir zurück, der nicht nur neugierig war, der – das spürte ich deutlich – gesehen sein wollte. Ich hätte gern gewußt, wer er war; der Kopf, der – so schien mir – zu einem achtzigjährigen Mann gehörte, beschäftigte mich während der ganzen Lesung, die etwas über eine Stunde dauerte. Ich sprach nicht für ihn, aber er war der einzige, von dem ich merkte, daß er jeden Satz auf der Stelle auffaßte und wog.

Gleich nach der Lesung wurden wir bekannt gemacht, eine großgewachsene Dame mittleren Alters, die neben ihm gesessen hatte und sich um ihn zu kümmern schien, sprach mich mitten im Gedränge an und sagte: »Ich möchte Sie bekannt machen. Das ist Ludwig Hohl.« Ich hatte gar nicht die Möglichkeit erwogen, daß er kommen könnte, ganz besonders aber freute ich mich nun darüber, daß der weiße Kopf, in dessen Altersintensität ich mich vernarrt hatte, Ludwig Hohl gehörte. – Die Gesellschaft verzog sich aus dem Vortragssaal in einen Raum daneben, wo sich auch ein Büffet befand, um dort hineinzugelangen, mußte man sich durch einen gar nicht breiten Türrahmen zwängen. Das gab mir die erste Gelegenheit, auf seinem Vortritt zu bestehen. Er zögerte, ich ließ nicht locker, er sagte schließlich ziemlich verlegen: »Ich bin der Ältere, gut!« und machte einen Schritt. Ich sagte: »Nein, nicht deswegen, ich glaube gar nicht, daß Sie der Ältere sind.« Ich wußte es zwar, er war um einige Monate älter, dieser

Teil des Wortwechsels hatte etwas Läppisches, aber ich hatte erreicht, was ich wollte: es war überdeutlich, daß ich ihn *ehrte*. Gleich danach sprachen mich andere an, Bekannte und Unbekannte, wir wurden getrennt und als er sah, daß wir nicht so bald wieder zusammenkommen würden, setzte er sich mit seiner Beschützerin an den einzigen, runden Tisch dieses Raumes und wartete.

Ich wollte zu ihm hin, wurde aber auf dem kurzen Weg in immer neue Gespräche verwickelt. Es gelang mir, manchmal hinüberzusehen, er hatte einen kleinen Zettel vor sich und dachte streng nach, während er ihn beschrieb, aber ich merkte, daß es um wenige Worte ging, viele wären auf das Papier nicht draufgegangen. Als ich endlich bei ihm war, reichte er mir den Zettel hin, darunter befand sich, wie ich jetzt erst bemerkte, ein zweiter, auch beschrieben. Er erklärte mir, daß es sich um zwei verschiedene Aufzeichnungen handle, die er im Abstand von ein oder zwei Jahren zur »Provinz des Menschen« gemacht habe. Er versuche, sie aus dem Gedächtnis zu rekonstruieren, er sei nicht sicher, ob sie ganz genau stimmten.

Ich fühlte, wie vornehm er sich für den Vortritt, den ich ihm gelassen hatte, revanchierte. Den »Wettbewerb«, soweit einer in solchen Dingen überhaupt denkbar war, hatte er auf das einzige Feld verlegt, das Gültigkeit hatte, das der Aufzeichnungen und huldigte meiner »Provinz« wie ich seiner Person. Von unverdienten Ehren besessen, will man verdiente erweisen.

Wir verließen als allerletzte spät das Gebäude, in dem das »Rote Kreuz« gegründet worden war. Beim Haustor unten zwang ich ihn zum letztenmal vorzugehen. Er wehrte sich nicht zu sehr, da er seine viel substantiellere Geste – die beiden Zettel – wohlverwahrt bei mir wußte. Ich hatte sie als etwas Kostbares an mich genommen, obwohl ich ihren Wortlaut noch nicht aufgefaßt hatte. Wir verabschiedeten uns voneinander auf der Straße.

Es war der 16. Februar 1978. Am 3. November 1980 ist er gestorben.

Man scheut davor zurück, zuviel mitzunehmen. Man möchte einiges auspacken. Da man weiß, daß das meiste unausgepackt bleiben wird, will man es zerstören.

Unerträgliche Vorstellung, schwerbepackt von einer Welt in die andere oder von dieser ins Nichts zu wandern.

Jeder Entschluß hat etwas Befreiendes, selbst wenn er ins Unglück führt. Wäre es denn sonst zu erklären, daß so viele offenen Auges und aufrecht in ihr Unglück schreiten?

In tausend Jahren: einige gezählte Tiere von ganz wenigen Arten, rar und umschmeichelt wie Götter.

Die Zahl der Schritte kennen, die einem von Anfang an zugemessen war.

Die Zahl der Herzschläge und der Atemzüge.

Die Zahl der Bisse.

Er ist der Zukunft so wenig sicher, daß er zögert, sie auch nur zu nennen. Er war lange von ihr beschwert; früher von ihr besessen, noch früher, jung, betrunken. Wie bist du ausgeraucht, Zukunft, wo bist du, du bist nirgends. Wer meidet dich noch, die sich nirgends findet? Wer sagt noch: »ich plane«, ohne daß seine Eingeweide ihn höhnen?

Mehr, mehr, mehr, am wenigsten.

Wo bist du, Freund, dem ich die Wahrheit sagen kann, ohne dich in Verzweiflung zu stürzen?

Es ist kein Zweifel: die Erforschung des Menschen ist an ihrem Anfang. Indessen sieht er sein Ende.

In einer Stunde nachholen, was in achtzig Jahren versäumt wurde. Dazu ist es notwendig, daß man achtzig wird.

Chinesische Ausstellung: Es wird alles immer staunenswerter, was von dort kommt. Niemand wird es erschöpfen in diesem knappen Leben. Aber ich sage mir nicht ohne Stolz, wie lange ich von China *weiß*, nur die Griechen waren früher schon für mich da, aber nicht mehr als sechs oder sieben Jahre früher und wenn ich die frühesten Nachrichten über Marco Polo gelten lasse, kamen sie sogar gleichzeitig. Es ist so, daß ich seit 60 Jahren etwa eine Vorstellung von China im Kopf trage und wenn sie sich ändert, so heißt das, daß sie differenzierter und gewichtiger wird.

Die Gräber der letzten Jahre, die neuen Gräber, sind über alle Maßen herrlich. Diese Ausstellung, die aus nicht mehr als 100 Gegenständen besteht, will so oft gesehen sein, daß man selber zur Bühne anwächst, auf der sie spielt.

Es ist bestürzend zu denken, wie wenig man ohne Gräber wüßte. Wenn der Glaube an das Fortleben der Toten zu nichts anderem gedient hätte als zu dieser Hinterlassenschaft, so wäre er gerechtfertigt, allerdings nur für die sehr späten Nachkommen wie wir und nicht für die Errichter.

Durch Menschen durchsehen, bis sie wirklich verschwinden.

Einer kommt durchs Leben, ohne ein einziges Mal seinen Namen zu unterzeichnen.

Wie *intakt* ist ein Mensch, dessen Namen niemand kennt.

Es ist sehr schwer für mich, die Unzufriedenheit Tolstois mit seinem Gottesglauben zu verbinden.

Manchmal denke ich, er hält an Gott fest, um seinen Glauben *an sich* nicht zuzugeben, um sich nicht zu überheben. Es fragt sich sehr, es ist eine ungeheuer ernste Frage, was an Gottes Stelle tritt, wenn es einem um die Menschen und nicht um sich selbst zu tun ist. Braucht man Gott, um selbst nicht allzu wichtig zu werden? Muß es eine letzte und höchste Instanz geben, der man Entscheidungen anheimstellt? Welche Kontrolle hätte man, wenn man sie sich selbst erlaubt? Ein Einverständnis mit sich als höchster Instanz bedeutet ein gutes Stück korrumpierender Macht. Wie läßt sich dieser ohne Glauben an Gott Einhalt gebieten?

Die Wolke, in der man sich aufgehoben glaubt, während andere sterben.

Solange ich es nicht klar und rückhaltlos gefaßt habe, was es mit dem Tod auf sich hat, habe ich nicht gelebt.

Alles sonst, was ich unternahm, ob es zu Ende geführt wurde oder bloß Ansatz blieb, bedeutet, daran gemessen, nichts. Will ich es wirklich bei solchem Lallen bewenden lassen? Habe ich nicht etwas viel *Gewisseres* empfunden und habe ich nicht die Entschlossenheit, es verständlich zu fassen?

Der unheimliche Wutschrei derer, die sich als Verteidiger des Todes gerieren, hat mich irregemacht. Ich denke zu oft daran, daß es sie gibt, als sei das weiß Gott was für eine Entdeckung. Natürlich gibt es sie, natürlich hat es sie immer gegeben. Eben darum muß ich von ihnen absehen und meine Sache so fassen, als ob es sie nicht gäbe.

Das Gewicht aller Gestorbenen ist ungeheuer, was für Kraft erfordert es, ein Gegengewicht aufzustellen, und wenn es nicht endlich geschieht, wird es vielleicht bald gar nicht mehr möglich sein, gegen das stündlich steigende Gewicht der Gestorbenen anzudenken.

Die Besuche bei Toten, ihre Lokalisierung, ist notwendig, sonst verlieren sie sich unheimlich rasch.

Sobald ihr legitimer Ort, der Ort, an dem sie sein *könnten*, wenn sie wären, berührt wird, gewinnen sie in überwältigender Eile ihr Leben. Plötzlich, urplötzlich weiß man wieder alles über sie, was man vergessen glaubte, hört ihre Rede, berührt ihr Haar und blüht auf im Glast ihrer Augen. Vielleicht war man damals der Farbe dieser Augen nie sicher, jetzt erkennt man sie, ohne sich eine Frage danach zu stellen. Es ist möglich, daß alles an ihnen nun intensiver ist, als es war, es ist möglich, daß sie nur in diesem plötzlichen Aufscheinen ganz zu sich selber werden. Es ist möglich, daß jeder Tote auf seine Vollkommenheit in der Wiederauferstehung wartet, die ihm ein Hinterlassener bietet. Es läßt sich nichts Gewisses darüber sagen, nur Wünsche. Aber diese sind das Heiligste, das ein Mensch hat und gibt es auch nur einen einzigen Erbärmlichen, der sie nicht auf seine Weise hegt und hütet?

Auch den *falschen* Erinnerungen nachgehen.

Sehr schön ist das Gefühl im hohen Alter, daß man *noch nichts* ist.

Die Formen der Tiere als Formen des Denkens. Die Formen der Tiere machen ihn aus. Ihren Sinn kennt er nicht. Erregt geht er im Tiergarten umher und sucht sich zusammen.

Es war richtig, sich so *weit* zu verteilen. Aber es war nicht weit genug.

Er betrügt sich: was ihn erregt und mit Widerwillen erfüllt, ist *nicht* der äußere Erfolg, sondern daß er ihn beschäftigt.

Sein Ekel vor Erfolg ist so groß, daß er auch gegen solche ungerecht ist, die ihn verdient haben.

Warum eigentlich bist du so stolz darauf, daß dir der Tod nicht aus dem Kopf geht?

Kommst du dir etwa wahrhaftiger vor oder mutiger? Ist das deine Art, zum Soldaten zu werden: ohne Befehle entgegenzunehmen, aber doch in eine Art Uniform gekleidet, die die aller ist und niemand bis jetzt abzuwerfen vermocht hat?

Müßtest du immerzu an den Tod denken, wenn es auch nur einen einzigen gäbe, der ihm entkommen ist?

Besser horchen, auf Unerwartetes horchen, nicht mehr wissen, worauf man horcht.

Der Vorteil der Seelenwanderung wäre ein bis ins Unendliche verlängertes Dasein, aber mit unterbrochener *Erinnerung*. Eine geradezu geistreiche Lösung: wohl trägt man die Schulden weiter, aber man erlebt sie unschuldig, nämlich ohne es zu wissen.

Rache der Lesefrüchte.

Es wird schwerer zu lesen, es gerät *mehr* in Bewegung.

Der Halsabschneider meldet sich. Welchen Hals meint er?

Wie kommt es dir vor, daß du mit 75 zu den Menschen gehörst, die nie gefoltert worden sind? Ist man es schuldig, an allem teilgehabt zu haben?

Mich ergreifen die Nachrichten von den »neuen« Malern vor hundert Jahren, denen es so schlecht erging. Mich ergreift die Unschuld Cézannes, der jeder Demütigung ausgesetzt war, sogar der schwersten durch seinen Jugendfreund, der ihm in einem besonderen Buch Selbstmord vorschrieb.

Nun hat jeder Jugendfreunde gehabt, die er als Gescheiterte betrachtet, die er aufgibt, nachdem er viel Leben an sie gewandt hat, von denen er nichts mehr erwartet, die er, vielleicht um seine frühere Erwartung vor sich zu rechtfertigen, noch tiefer hinabstößt, vor sich herabsetzt und beschimpft, als könnten sie ihn an irgendeiner Stelle packen und mit hinabziehen.

Die frühen Bilder Cézannes, die Zola bei sich versperrt hält und nicht herzeigt, als eine Art Schande, weil er einmal an ihren Maler geglaubt hat.

Ist es der ewige Selbstzweifel Cézannes, was ihn schließlich bezwang? Hat er ihm zu sehr und zu lange zugeredet? Oder war er doch nur sein Zwilling, sein Jugendgespiele, sein Kumpan gewesen?

Es ist erstaunlich, wie Zola in Paris aufging, während Cézanne zur Landschaft seines Ursprungs wurde und diese neu bestimmt hat.

Ohne die *Unordnung* des Lesens gibt es keinen Dichter.

Die *bescheidene* Aufgabe des Dichters ist am Ende vielleicht die wichtigste: das *Weitertragen des Gelesenen.*

Diese unsinnige Erforschung dessen, was die Sprache *nicht kann*, während sie immer noch das Schlimmste anrichtet.

Wie soll aus der Nacktheit wieder etwas werden?

Es wundert mich sehr, wie einer Literatur *studieren* kann, dem sie wirklich etwas bedeutet. Fürchtet er nicht etwas wie einen Ausgleich unter den Namen?

Ich stelle mir die Dichter am liebsten auf einer Eisbahn vor und wie sie geschickt umeinander herumfahren.

Mich irritiert nicht mehr der gute Ausgang des Märchens: ich brauche ihn.

Er vergaß sich so sehr, daß man ihn an der Hand nach Hause zurückführen mußte.

Er sagte: Hier wohne ich nicht, und da er niemand erkannte, erkannte ihn niemand.

Er mußte einschlafen, bevor er sich wieder zurechtfand.

Es gibt nicht genug Leben, die sich selbst dargestellt haben. Unter denen, die es gibt, schmecken die meisten wie Heu.

O ein Buch sein, ein Buch, das mit solcher Leidenschaft gelesen wird!

»Wenn man aber seine Sünde vor die Leute trägt, so kann man leicht jede Scham verlieren.«

Die Schönheit des Vergessenen, bevor es sich offenbart.

Ich will nichts mehr entdecken. Wie konnte ich es wollen.
Ich will auch nicht vergessen. Das wollte ich nie. Ich will
es nur alles zugleich *aushalten*.

Es ist im Nein-Sagen eine ungeheure Kraft und manchmal
scheint mir, sie ist so groß, daß man von ihr allein leben
könnte.

Gestern las ich – nach langer Zeit wieder – in einem der
offensten Bücher, das ich kenne, es ist seit 53 Jahren bei
mir: »Der Russe redet«, Aufzeichnungen einer Krankenschwester, Reden, die sie 1915/16 an der Front im Spital
von verwundeten Soldaten gehört hat. Es ist alles von großer Wahrheit und klingt wie die beste russische Literatur,
die man liebt und vielleicht ist diese Literatur darum so
gut, weil in ihr geredet wird wie von diesen verwundeten
Soldaten, von denen die meisten noch Analphabeten sind.
Ich las bis tief in die Nacht, das ganze Buch – es ist nicht
lang, obwohl unerhört reich – in einem Zug, es erinnerte
mich an den Russen, der mir vor einem Jahr aus der Erinnerung wieder vertraut wurde, Babel. Vielleicht hätte es
mich an *jeden* Russen erinnert, den ich zuletzt las. Es sind
kurze Stücke, aber in jedem von ihnen ist der Atem, den
man aus langen Büchern kennt. Es sind alle Schlechtigkei-
ten darin, die Männer über Frauen sagen können, unendlich viel Prügel, Bajonette, Trunkenheit, von Kosaken zer-
rissene kleine Mädchen, man ist entsetzlich bedrückt,
wenn man damit zu Ende ist, es ist das treueste, das wahrhaftigste Bild, das ich vom Ersten Weltkrieg kenne, von

keinem Dichter geschrieben, aber von Leuten gesprochen, die alle Dichter sind, ohne es zu ahnen.

Die Krankenschwester, Sofja Fedortschenko, bezeichnet ihre Aufzeichnungen als *Stenogramme,* das heißt also, daß sie sie sehr rasch aufschreiben konnte, unauffällig, wie sie sagt, da man gewöhnt war, sie allerhand aufschreiben zu sehen, das mit ihrer beruflichen Tätigkeit zusammenhing. So mißtraute man ihr nicht und so sind diese Sätze unverfälscht da.

Das Bild des Krieges, das sich daraus ergibt, ist so, daß jeder diese Sätze auswendig kennen müßte.

Morgens beim Hahnenschrei fängt er mit Einzelsätzen an, die sich zu nichts zusammenfügen dürfen.

Die Reklamewunden vernarbt.

Das Kind sucht nach dem Olymp und findet Kuwait.

Das Zeitalter, in dem den Menschen die Unsterblichkeit gestohlen wurde. Der Dieb waren *sie.*

Es wäre notwendig, sein Leben *ohne Beschwerden* zu schreiben. Aber ist es dann glaubhaft?

Solange du nicht in die Zeit der Klagen gelangst, mag es gelingen. Aber dann, wenn das Ach und Weh beginnt, die Ödigkeit der Schmerzchen, verstumme schleunigst!

Alle Gedanken, Vermutungen und Spekulationen über andere Welten im Raum werden in dem Augenblick lebenswichtig, in dem die Erde als Folge ihres Atomgetriebes in Schall und Rauch aufgeht. Was bleibt von uns dann in anderen übrig? Gibt es überhaupt andere, in denen etwas von uns übrigbleiben könnte? und wessen wären sie durch dieses Übrigbleibende fähig? Wäre es vorstellbar, daß wir als Warnung dienen? oder müssen sie, von uns angesteckt, den gleichen Weg gehen? Sind sie ganz frei von uns, so daß sie von unserem Untergang nicht einmal Notiz nehmen? Ist alles, was in der Welt geschieht, *vereinzelt* und dazu verurteilt, vereinzelt zu bleiben? Oder hängt es auf eine ganz geringe Weise zusammen, die seine Rettung eben noch offen läßt? Wäre diese Rettung provisorisch und durch Fehler immer wieder verwirkbar? Wäre sie austauschbar – hie Rettung, hie Vernichtung – seht euch vor, was ihr lieber wollt? Oder ließe sich Rettung nur gegen Schlimmes und dann noch Schlimmeres austauschen, eine absteigende, aber langwierige Linie?

Es ließe sich vieles denken, das eben noch vorstellbar wäre, aber vielleicht wäre das Eigentliche, das, was geschehen muß, nicht einmal zu erdenken.

Man weiß *nichts*, aber man kokettiert damit, bis es so aussieht, als hätte man ein großes, heimliches Wissen.

Das chinesische Pferd, – wie er der Zeit der Pferde nachtrauert! Aber war es denn ihre Vollendung, als man ihnen Wein zu trinken gab, damit sie tanzen?

Eine Gesellschaft, in der der *Flüchtigste* zum König wurde, eine Art Windhund.

Dostojewski, lebenslang dankbar für eine *Begnadigung*. So kostbar ist ein Leben, das schon verloren war.

Geister, die zum Programm eines Lebens werden. Sie überwältigen einen so sehr, daß man es nie, auch in Jahrzehnten nicht, wagt, sie ganz zu kennen.

Dichter, wie Möwen anzusehen im Flug und wie Möwen abscheulich untereinander.

Unter vielen Gläubigen fällt ihm der Glaube am schwersten.

Der Himmel der Chinesen, hohe Zeit des menschlichen Geistes, als dieser uns noch bewahren wollte.

Dschuang-tse wiedergelesen. Gäbe es ihn nicht, ich bestünde aus Wurzeln. Aber er ist es, der mich aus den Wurzeln hochhebt, ohne *eine* zu verletzen. Seine Freiheit wächst mit der Verödung unserer Erde. *Eine* Grenze hat auch er sich gesetzt, den Tod, doch er ist der einzige, dem ich diese Abgrenzung nicht verarge.

Sehr nah ist er uns in seinen Kämpfen. Er *spricht* mit den Sophisten, aber wie hart weist er sie zurück. Er sagt unerschütterlich, daß Worte etwas sind, er achtet und ehrt sie und verweigert sie Taschenspielern. Sehr tief berührt mich seine Verachtung des Nutzens.

Er weiß etwas von Weite und hat äußere Weite zu innerer einbezogen. Man könnte ihn den von Weite Erfüllten nennen. Erfüllt bleibt er so leicht, wie er leer wäre, wenn er je leer sein könnte.

Kannst du Worte finden, die einfach genug sind, ohne zu verheißen?

Einen Namen ungeschehen machen.

Ich habe niemanden, dem ich sagen könnte: Entlaß mich.

Auch nach allem, was es von dort schon geregnet hat, – das Wort »Himmel« gibt er nicht auf.

Wer nichts zu denken hat, holt sichs im Wörterbuch.

Sehr verschiedene Arten von ewigen Schülern: solche, die immer in Wörterbüchern und solche, die immer in Weisheitsbüchern stecken. Es gibt aber auch solche, die es vorziehen, Weisheiten durch Wörterbücher aufzulösen.

Bücher, die er rezensierte, las er erst später. So wußte er schon, was er über sie dachte.

Eine Gelehrsamkeit zum Ersticken. Man erfährt von einem Gegenstand so viel, daß man nie mehr etwas von ihm wissen möchte. Die Nähte platzen. Man wendet sich von ihm ab. Wie hat man sich für ihn interessieren können?

Dreitausend Antworten auf jede Frage. Welche Frage hält das aus?

Es ist etwas Hohles in dieser *Ausdehnung* der Verantwortung. Man zwingt sich zu glauben, daß man für alle tut, was man tut, zumindest soll es einem als eine Bemühung für alle erscheinen.

Was aber ist »alle«? Gehören dazu die Lebenden, die jetzt Lebenden? Oder auch die Späteren? Und die Früheren? Sind sie nichts? Sprechen nicht eben sie aus einem? Oft ist einem so zumute, als wäre man ihre vereinigte Stimme, die Stimme der falschen, der unwillentlichen Opfer. Täte man etwas für sie, wenn es einem gelänge, das Opfer der Späteren zu verhindern?

Mit der Ausdehnung der Verantwortung entzieht man sich dem, was man vielleicht eben noch vermöchte.

Deine Menschenverehrung wäre anrüchig, wenn du Menschen nicht so gut kennen würdest.

Wer das Schlechteste verehrt, glaubt an seine Verwandlung.

Das »Schöpferische«, darum ein gutes Wort, weil man es als unaufhörliche und angestrengte Bewegung vor sich sieht.

Bekannte beleben, bis sie's nicht mehr sind.

Er verbiß sich in den Ruhm seines Lehrers. Der Mund ward ihm bitter davon.

Du bist zu seiner Umgangssprache geworden. Hör ihm nicht zu, dann brauchst du's ihm nicht zu verargen.

Eine Sprache, in der nie gefragt wird. Gähnstriche statt Fragezeichen.

Ein Stern unter Milliarden, und doch bemerkt man ihn?

Ein Leben nur in Nacht: was ersetzt den Morgen?

Lob zerstört die Regel des Atems.

Wie er Tiere für seine Überlegenheit bewundert!

Eine Woche in völliger Einsamkeit wechselte ab mit einer Woche ganz unter Menschen. So lernte er beides hassen: die Menschen und sich.

Während andere verhungern, schreibt er. Er schreibt, während andere sterben.

Eitel bin ich nicht, sagt der Eitelste, ich bin empfindlich.

Die Erzählung des Ungerechten: er nimmt Partei für den, der gesiegt hätte.

Eine Geschichtsschreibung, nach der die *Verlierer* immer im Recht gewesen wären.

Betrunken von Einwandlosigkeit wirft er mit Einzelsätzen um sich.

Der Wert der Begier nach Unsterblichkeit liegt eben in der Überzeugung, daß es sie nicht gibt.

Es ist das Unmögliche, das man am heftigsten will. Man soll die Begier danach schüren und schüren, mit jedem, mit tausend Beweisen, daß ihre Erfüllung nicht möglich ist.

Eine furchtbare, eine unablässige Spannung ist die einzige, die des Menschen würdig ist. In ihr eine Spiegelfechterei zu sehen, ist ein Zeichen unwürdiger Gesinnung. Es ist erbärmlich, sich der Einsicht der Sterblichkeit zu fügen. Es ist erbärmlich, sich von Göttern prügeln zu lassen und zu ihrer Kraft zu beten. Nicht erbärmlich ist der Versuch, ihnen ihre Unsterblichkeit zu entreißen, eben weil er zum Scheitern verdammt ist.

Die Schlauheit des Vergessens: es soll etwas Besseres daraus werden.

Ich glaube an *keine* Traumdeutung. Ich *will* an keine Traumdeutung glauben. Diese letzte Freiheit taste ich nicht an.

Nun greift das geschriebene frühe Leben ins späte des Alters hinein und es ist sehr wohl möglich, daß es dir zum Schicksal wird, nämlich zur besonderen Gestalt deines Endes.

Gut, er weiß nichts. Aber das weiß er immer besser.

So leben, als ob niemand – außer den Nächsten – einen kennte. Das wäre die Vollkommenheit des Alters.

Er schluckt keine Namen, doch knabbert er dran.

»Während eine hundertköpfige Menschenmenge dem Lebensmüden zuschrie, er solle endlich ins Leere springen.«

Einzige Rettung: das Leben eines anderen.

An nichts habe ich mich gewöhnt, an nichts, und am wenigsten an den Tod.

Der Kreide-Gott, der *sich* aufzeichnet.

Menschen, so dumm, daß sie nur noch *verhandeln* können.

Wieviel fatale Bemerkungen, die du anderen nicht vergibst, verübst du selber täglich.

»Dialog« sagen die, die reden wollen.

Wie oft müßte man leben, um aus dem Tod klug zu werden?

Die Verblödung, die vor der Angst errettet.

An meiner rasenden Zähigkeit, die alles bewahrt, was ich irgendwann gelebt habe, beginne ich zu begreifen, was Dichter in der Welt angerichtet haben.

Man muß so leben, als ob die Menschheit weiter existieren würde, und wenn man nichts dazu beitragen kann, daß es so wird, sich wenigstens nicht *einschüchtern* lassen.

Mit jedem neuen Geschöpf derselbe Versuch, als gäbe es keine Erbschaft. Der herrliche Wahnsinn des Menschen.

Er warf mit Selbst-Verachtung um sich. Niemand dürfe sich weniger verachten als er sich selbst.

Man wird nicht besser. Alle Berührungen verschlechtern den Menschen: sie wecken seine Angst.

»Besser«, »gut«, – ist es leichthin, ist es sinnlos, wie du diese Worte setzst, als könntest du ihren Inhalt und ihre Grenzen wahrhaftig bezeichnen?

Du kannst das nicht, und trotzdem ist dein Gefühl von ihnen ein sehr bestimmtes und du weißt mit absoluter Sicherheit, ob du etwas, das sich vor dir abgespielt hat, *zu Recht* als etwas Gutes erkannt hast.

Das Wissen darum ist deine einzige Hoffnung. Denn wenn du es auf diese instinktive und nicht definierbare Art weißt, muß es anderen auch so gehen und es gibt, zum mindesten, was die Einsicht ins Gute anlangt, etwas Gemeinsames unter Menschen, das uralt und sicher zugleich ist.

Er sagt sich manchmal, daß es nichts mehr zu sagen gibt, bloß weil er nicht mehr dazu kommen wird, es zu sagen. – Wie verächtlich! Eine wahre Generosität müßte den Menschen alles wünschen und gönnen, was man selbst nicht mehr haben wird.

Nicht nur, daß sie alles Schlechte von einem ohnehin *erben*: man pflanzt es seinen Kindern mit Mühe noch ein.

Und wenn man sich sagte: Es gibt kein eigenes Kind, ein Kind ist immer geliehen?

Feinde können einem sehr unangenehm sein, immerhin werden sie nie so langweilig wie Anhänger.

Es gibt Propheten des »Untergrunds«. Dostojewski war der erste und Dringlichste von ihnen.

Von Erniedrigung weiß Dostojewski wirklich viel, ihr eigentlicher Kenner. Mir steht der große Kenner des Stolzes, Cervantes, näher.

»Aufzeichnungen aus dem Untergrund«, von wie vielem die Wurzel, bis in die Literatur unserer Tage! Selbsterniedrigung und Selbstbeschimpfung, ein Christentum, das sich im Staub windet, Rhetorik der Reue.

Man kennt es von sich, jeder kennt es von sich, und doch ist etwas daran, das alles verfälscht: die *Labilität* der Gefühle als letzte Wahrheit.

Während er schreibt, schlüpft ihm sein Gecko aus der Tasche und ergötzt sich an der Decke. Solange er über ihm hin- und herläuft, schreibt er Sätze nieder, zuweilen pfeift er dem Gecko zu oder dieser ihm.

Sobald es aus ist, sobald ihm nichts mehr einfällt, verkriecht sich der Gecko in seine Tasche.

Auch Schmerzen irren.

Ortlos war er nie, er hatte aber viele Orte. Jeden hat er mit der Unbeirrbarkeit behütet, die man für eine einzige Heimat hat.

Ich habe *keine* Antwort parat: Ich würde in jedem Fall weiter nach einer suchen.

Mein Glaube ist noch in der Schwebe.

Eine Zeitungspille: man schluckt sie und sie geht mit sämtlichen Neuigkeiten in einem auf.

Die Schnäbel des Staunens füttern.

Ein unerkennbares Tier. Durch seine Wirkungen vertraut, in seiner Gestalt unbestimmbar, von wechselnder Größe, Geschwindigkeit und Schwere. Es ist nicht sicher, ob es am Leben ist oder vielfach am Leben *war*. Die Laute, die es von sich gibt, haben sich in Träumen erhalten.

Über Freundschaft zu Mächtigen und wie sie sich aus-
wirkt, bei Historikern, bei Dichtern: ein aufreizendes
Thema. Auf solche Freundschaften geht die unkritische
Tradition über Mächtige zurück. Warum ist ein Fall wie
der von Prokop so selten? Hat es mehr »Geheimgeschich-
ten« wie die seine gegeben? Sind sie verlorengegangen?

Und wenn es den Tod nicht gäbe, was stünde für den
Schmerz des Verlusts? Ist es das Einzige, was für den Tod
spricht: daß wir diesen größten Schmerz brauchen, daß
wir ohne ihn es nicht wert wären, Menschen zu heißen?

Er ist aufgewacht. Bis 75 hat er geträumt, er war immer im
selben Traum. Er ist aufgewacht, er hat sich entpuppt und
versteht, was andere sagen möchten. Es ist nur für kurz,
aber er versteht sie alle. So gut versteht er sie, daß er niemanden verdammt. Er sagt nichts, weil er erwacht ist. Er
versteht und hört.

Einen Freund zusammensetzen.

Die sich den Explosionen versagen, ein für allemal, für
immer, – wohin sollen sie sich zurückziehen?
   Es ist kein Wald mehr da für die Einsiedler und der Reis
in der Bettelschale ist vergiftet.

Er bereut sehr vieles. Aber öffentlich bereuen, – nein, das
hieße, er bereut nichts.

Der Kleinliche: statt sich dem Tod zu stellen, mäkelt er am Alter herum.

Auch das Scheusal will lange leben, 200 Jahre, sagt sie.

Es gelang ihm, sich den Toten zum Feind zu machen.

Statt Zähne hat er Worte im Munde sitzen. Mit ihnen kaut er. Sie fallen nie aus.

Sollen sie sich über dein Unglück freuen, alle, jeder, wenn du dich nur nicht über das ihre freust, auf keinen Fall, niemals.

Es kommt nicht darauf an, wie neu ein Gedanke *ist*; es kommt darauf an, wie neu er *wird*.

Dein Blut-loses Leben. Wie, mit so viel Angst?

Wer die Angst der graziösesten Tiere fühlen könnte!

Die Zeit kam, da alles, was er gewesen war, zusammenbrach. Er stand daneben und klatschte in die Hände.

Das Schmachten der Zusammenhänge.

Ein weniger löchriges Herz wünscht er sich und einen nicht mehr wohlklingenden Namen.

Wir waren sehr hochmütig und nannten einander Brüder.

Die Verwandlung würde davon abhängen, daß du von neuen Göttern überwältigt wirst, denen du glaubst.

Die Abschürfungen des Alters.

Wem hat Nietzsche genützt? Er ist *nicht* mißbraucht worden, er hat gewirkt, wie er war.

Seine Gelegenheiten in diesem Jahrhundert, die er herbeigeschrieben hat, sind vorüber.

Es gibt Feindschaften, die man nicht versäumen darf. Schweigen ist Fäulnis.

Wäre der beste Mensch einer, der sich nicht mehr zu helfen weiß, weil er anderen vergeblich zu helfen versucht hat?

»Durchsichtigkeit« und »Klarheit« sind bei dir zu mißbrauchten Wörtern geworden. Du hast sie zu oft gebraucht. Du mußt neue Wörter für sie finden.

Mit Klarheit meinst du *Unablenkbarkeit*.

Mit Durchsichtigkeit meinst du *Verzicht auf Wolken*.

Wenn sie weggehen, glaube ich, sie kommen als andere wieder, oder nie.

Viele wohnen in ihm, die sich verborgen halten. Er bekommt sie nie zu Gesicht. Wenn er schläft, gehen sie ein und aus. Im Traum fühlt er ihren Atem.

Sätze wie Enterhaken, die nach allen Schiffen des Denkens ausgreifen.

Ob man ganz in das Leben eines anderen eingehen müsse, um *sich* sehen zu können?

Er warf sich weit weg und wurde im nächsten Jahrhundert aufgefangen.

Ein Land, in dem *manche* der Toten zurückkehren. Welche, und warum?

Berge von Bedenken, leere Schalen der Angst.

Der Mann, der sein eigenes Schicksal mit dem der Erde verwechselt.

Er hat noch nie etwas Gutes getan, ohne daß es ihm vorher schon zugute gekommen wäre.

Man soll den Hunger nach Leben nicht mit seiner Billigung verwechseln.

Es kommt eine Zeit, im Alter, da man im Geist nur zwei Schritt zurück und zwei Schritt vor operieren kann. Nennen wir's die Zeit des schmalen Areals. Aber auch diese Zeit kann ergiebig sein für einen, der früher über große Territorien gejagt hat.

Ein Ameisennest sein. Was es von Menschen weiß.

Theologie des Nicht-Seins. Alle zerstört er, damit *er* da ist.

Die komplizierten Jenseits-Ringe des Saturn.

Sein Leben schreit nach Dichtung, so wahr ist es.

An alte Dinge so denken, als wären sie bis jetzt nie gewesen.

Sätze, die nicht mehr von ihm sind, das sind Sätze.

Verschränkungen der Städte in der Erinnerung. Ihre Namen umarmen und beißen sich.

Frei von Angst war er nicht, aber es war nicht mehr *seine* Angst.

Eine der größten Freuden ist es, *sich zu entziehen*: uralte Erinnerung an die Rettung, wenn man *Beute* geworden war, hoffnungslos in den Krallen oder dem Mund des Feindes.

Alles was sich in dieser Verfassung der Welt den Anschein der Überlegenheit gibt, erfüllt ihn mit Ekel.
    Denn was, was könnte noch mit Überlegenheit geschehen?

Mit nichts wird mehr Mißbrauch getrieben als mit Worten der Toten. Auf das unverschämteste werden solche Worte erfunden, und es zeigt sich, wie wenig man sich heutzutage vor den Toten fürchtet.

Auch die eigentlichen, die wahrhaft großen Dinge müssen sich Mühe geben, am Leben erhalten zu bleiben.
    Alles hat eine fatale Neigung, sich aus dem Staub zu machen.

Er wird aus seiner Geschwätzigkeit nicht klug. Es ist sein eigenes Geschwätz und es ist wie eine unbekannte Sprache.

Er schreibt in Kübeln und schüttet es wegblickend über seine Leser aus. Die *wollen* doch naß werden, sagt er, aber ich habe keine Lust, es zu sehen.

Er opfert die Uhr und entgeht der Zukunft.

Seine Haut ist die *Zeit* und er läßt sich schinden.

An Ehrungen anderer, die man mitansieht, erlebt man die Lächerlichkeit der eigenen.

Es gibt so viel zu erzählen, daß man sich für den Reichtum seines Lebens schämt und verstummt.

In Verlegenheiten schwelgen.

Es ist wahr, er hat für die Rülpsenden gelesen, aber er hat ihnen ihr Rülpsen vorgeführt.

Die Berühmten stärken sich aneinander: das geht gegen Gerechtigkeit und es geht gegen Anstand.

Wie leicht ist es, sich in den Augen anderer zu reduzieren! Man muß nur einige Geringschätzigkeiten über sich erfinden, noch so unwahrscheinliche, sie werden sofort akzeptiert und geglaubt.

Lügnerische Briefe. Sport der Toten.

1982

Eine unstillbare Höflichkeit hat ihn überkommen, er möchte sich immer wieder verbeugen, alle sind fort, er verbeugt sich weiter.

Manche hätten sich gefreut, die nicht mehr am Leben sind, aber nicht so sehr, daß sie aus Freude zum Leben zurückkehren könnten.

Selbst die *gespielte* Bescheidenheit ist zu etwas gut: sie hilft anderen zu *ihrem* Selbstvertrauen.

Wehmut des Nie-Verlangten.

Nun machen sie sich eine Ehre daraus zu fragen. Plötzlich ist es so, als ob du etwas zu sagen hättest. Aber du hast es vergessen.

Es gibt solche, die ihm vorwerfen, daß er als Kind nicht mit Steinen warf.
   Auch verargen sie ihm, daß er von sich spricht, ohne schamlos zu werden.

Als er achtzig wurde, gab er sein Geschlecht zu.

Da er falsch gehofft hat, – hat er auch falsch gefürchtet?

Man kann kein Wesens daraus machen, daß es mit einem zu Ende geht. Ein Wesens hat man, lange schon, daraus gemacht, daß es überhaupt zu Ende geht, mit einigen, diesem, jenem, allen.

Daß du die neue Lebensform nicht *siehst*, sollst du nicht überschätzen.

Wenn nur andere, später, sie finden und fassen, – auf dich kommt es nicht an.

Schwer einzusehen ist es, daß es auf dich nicht ankommt.

Menschen in anderer Form, sprechende Sachen, ist es das, was bevorsteht?

Die Geschöpfe, die dein Fuß zertreten hat.

Sein Lebtag hat er sich bei den Tieren angesagt, vergeblich.

Die größte Konzentration von allen Dichtern, die ich kenne, hat Büchner. Jeder Satz von ihm ist mir neu. Ich kenne jeden, aber er ist mir neu.

Das zerfallende Wissen hält ihn zusammen.

Obschon er sich nichts Neues mehr merkt, – die Bewegung des Lernens läßt ihn nicht los. Solange er in ihr verharrt, fühlt er sich nicht gestorben.

Von Zeit zu Zeit, alle paar Monate, bekommt er ein neues Buch über unbekannte Teile der Erde. Dann wird ihm ganz heiß zumute, als wäre sie zu retten.

Die Gefahren summieren sich, jede einzelne von ihnen ist überwältigend geworden. Jede ist erkannt und genannt, jede ist berechnet worden. Gezähmt ist keine. Vielen Leuten geht es gut. Kinder verhungern. Man kann gerade noch atmen.

Daß er *seinem* frühen Leben zu danken hat, bedeutet doch nicht, daß er das frühe Leben anderer denkenswert findet.

Das Spanische an Stendhal, sein italienisches Leben, in französischer Sprache des 18. Jahrhunderts. Mehr kann man nicht erwarten.

Wenn es so ist wie in deinem Leben: daß *nichts* vergangen ist, – wo tut es die Menschheit hin?

Wozu erinnerst du dich? Leb jetzt! Leb jetzt! Aber ich erinnere mich doch nur, um jetzt zu leben.

Zunahme des Wissenswerten, Abnahme der Faßbarkeit, täglich gewinnt er um einen Tropfen weniger, mehr und mehr tropft an ihm vorbei und versickert, nicht in ihn, wie sehnt er sich nach allem, was er hätte wissen mögen!

Kein Tier habe ich umarmt. Ein ganzes Leben habe ich mit qualvollem Erbarmen an Tiere gedacht, aber kein Tier habe ich umarmt.

Er bietet sich selbst zur Vergiftung an, der Probe-Dulder.

Versuche, *nicht* zu urteilen. Stelle dar. Es gibt nichts Ekleres als die Verurteilung. Sie ist immer so oder so und immer ist sie falsch. Wer weiß denn genug, um irgendwen zu verurteilen? Wer ist dazu uneigennützig genug?

Zum Schluß bekam er alles noch zu Lebzeiten und wurde vergessen.

Er umgab sich mit Wiederbelebten.

Pessimisten sind nicht langweilig. Pessimisten haben recht. Pessimisten sind überflüssig.

Damals in Genf bin ich einem Selbst-Prüfer begegnet. Ich wußte es noch nicht, aber sein Gesicht war anders. Es war, wie ich mir gern ein Gespenst vorstellen möchte: jemand, der sich nicht damit abfindet, daß er tot ist.

»– Si je ne suis pas clair, tout mon monde est anéanti.«
Stendhal an Balzac.

Das Kind, keine zehn Jahre alt, das in einem riesigen chinesischen Wörterbuch nachschlägt.

Er dankt allen, die ihn aus ihren Herzen entlassen haben.
Er will zum Schluß allein sein.

Auch mitten im Untergang will er keine Silbe an den Büchern ändern.

Zorn über alle, die es vorhergesagt haben. Wie leicht ist es ihnen von den Lippen gegangen!

Das Alter, wenn es seinen Namen verdient, sollte das Beste bringen.

Ein Heimkehrer in *viele* Länder.

So viele, die Europa verlassen möchten. Ich möchte noch mehr in Europa dasein.

In fünf Minuten wäre die Erde eine Wüste, und du hängst an Büchern.

Ein Abend aus Gram und Gewürz, vor dem Fenster ein Reiher.

Geschöpfe, deren Leben nicht länger als Minuten dauert.

Weniger verzeihen, es tut ihnen nicht gut. Sie sollen sich doch noch schämen dürfen.

Klavierspiel aus der Platane.

Das häufigste Wort, das man heute liest, heißt Folter.

Gespielte Wutausbrüche, prähistorisch.

An der täglichen Zeitung verwelkt.

Wen soll man statt seiner selber schlagen?

Grausame Strafen damals. Massenmord heute.
    Noch im »Massenmord« die Attraktion der Masse.

Er hat sich sein Unglück redlich erworben und denkt nicht daran, es herzugeben.

»Emli n mfas« – »Herr des Atmens«, einer der Gottesnamen der Tuareg.

»Es hieß, daß er alles Singen verbot, außer religiösem Singsang. Kein Trommeln war erlaubt und sogar Eselsgeschrei sollte unterdrückt werden.«

The Tuareg.

»Nach Aulus Gellius lebten in Afrika Familien, deren Reden besondere Kraft besaß. Wenn sie schöne Bäume, reiche Felder, liebliche Kinder, treffliche Pferde, fettes und wohlgenährtes Vieh überschwenglich priesen, dann ging alles dieses nur durch dieses Lob und aus keiner anderen Ursache zugrunde.«

Noctes Atticae, IX, 4.

Sich so verstecken können, daß man der Frühere wäre.

Sehnsucht nach der Zeit, in der man *vergeblich* mehr gelten wollte.

»Obwohl Isaak nicht starb, sieht ihn die Schrift so, als ob er gestorben wäre und seine Asche läge gehäuft auf dem Altar.«

Alles von Zeitgenossen liest sich zwangloser. Es fordert keine Totenverehrung und es steht noch nicht fest. Vielleicht ist es morgen verdunstet, vielleicht unerkennbar.

Du bist ganz und gar nicht ein Mensch dieses Jahrhunderts und wenn etwas an dir zählt, so ist es, daß du dich ihm nie unterworfen hast. Vielleicht hättest du aber etwas ausgerichtet, wenn du dich widerstrebend diesem Jahrhundert unterworfen hättest.

Gewissens-Unternehmer.

Als gütiger Erzähler erwarb er sich das Vertrauen der Menschheit, zwei Monate bevor sie in die Luft ging.

Er mißtraut den Antworten seines Lebens. Das bedeutet nicht, daß sie sich als falsch erweisen werden.

Der Esel als Roßtäuscher.

Gedächtnis-Akrobat als Herrscher.

Das Kind gibt seine Kindheit an immer Kleinere weiter.

Eine Hütte für Große, eine Schrumpf-Hütte.

Der Schmerz des Sprechens. Du sprichst an dir selbst vorbei.

Durch Feinde zu Menschen gelangen.

Er hängt mehr an Versäumnissen als an Gelingen.

Wenn es Götter gibt, sind sie gelähmt: *unser* Curare.

Die unbekümmerte Vervielfältigung, eigentliche Blindheit der Natur, sinnlos, wahnwitzig, frech und eitel wird zu einem Gesetz erst durch die Haß-Erklärung gegen den Tod. Sobald die Vervielfältigung nicht mehr blind ist, sobald es ihr auf jedes einzelne ankommt, hat sie sich mit Sinn erfüllt. Aus dem grauenvollen Aspekt des »Mehr! Mehr! Mehr! um der Vernichtung willen!« wird »Damit jedes einzelne geheiligt werde: mehr!«

Bevor er zu Auflösung wird, ist der Tod Konfrontation. Mut, sich ihm zu stellen, jeder Vergeblichkeit zum Trotz. Mut, dem Tod ins Gesicht zu spucken.

Seine Erfahrung, seit alters her: immer wenn seine Verhöhnungen des Todes sich steigern, nimmt er ihm ein Nächstes weg.

Spürt er, was bevorsteht, oder ist es Strafe. Wer straft?

Zu den Wörtern, die ihre Unschuld behalten haben, die er ohne Scheu sagen kann, gehört *Unschuld* selbst.

Verschwinden, aber nicht ganz, so daß man's weiß.

Alles was du abgelehnt und beiseite geschoben hast, wieder vornehmen.

Einzeln sein, aber nicht für sich.

Erkläre nichts. Stell es hin. Sag's. Verschwinde.

Vielleicht hast du den Einzelheiten ihre Würde zurückgegeben. Vielleicht ist das deine einzige Leistung.

Um *heute* dazusein, braucht man die intime Kenntnis ganz anderer Zeiten.
   Aufmerksamkeit der Zeiten füreinander.

In Dolchen schreiben oder in Atemzügen?

Vielleicht zieht ihn jeder Glaube an und vielleicht hat er darum keinen.

Der *Prunk* des Denkens, der ihm verdächtig war. Glanz und Dialektik, musikverwandte Worte.

Wenn es Gott nicht gegeben hätte, und wenn er *jetzt* entstanden wäre!

Willst du ihn vergessen, den du nie gefunden hast?

Es ist nicht zu leugnen: von den alten Kulturen am meisten interessieren ihn ihre Götter.

Staunen der getäuschten Schlange: des Apfels untilgbarer Rest.

»Lebenskenntnis« ist nicht sehr viel und sie wäre ganz ohne Leben aus Romanen allein, aus Balzac z. B., zu erlernen.

Mit dem Erlahmen des Gedächtnisses fällt alles von einem ab, was man sich erfand. Man besteht nur noch aus den überkommenen Allgemeinheiten und tritt, als wären sie Entdeckungen, heftig für sie ein.

Dieser Trick, sich für kommende Jahrhunderte mit Lektüre einzudecken.

Ein Tier, das die Menschheit vom Untergang errettet. – Ein Tier, und welche Erinnerung an die untergegangene Menschheit es bewahrt.

Er verfeinert seine Eindrücke, bis sie so dünn sind, daß sie niemand anderem zukommen.

Der Zerstörer der Tradition, der am meisten zu ihrer Bewahrung beiträgt.

Er ist wehrloser gegen den Tod geworden. Der Glaube, zu dem er sich verpflichtet hat, war kein Schutz. Es war ihm nicht erlaubt, sich zu schützen.

Nun waren aber andere da, mit ihm. Hat er auch sie nicht geschützt? Wie kommt es, daß beinahe alle gefällt sind, und er ist noch da? Was ist da für eine heimliche, schändliche Relation, die er nicht kennt?

Hat man lange genug gelebt, so besteht die Gefahr, dem Wort »Gott« zu erliegen, bloß weil es immer da war.

Es ist etwas *Unreines* in den Klagen über die Gefahren unserer Zeit, so als könnten sie dazu dienen, unser persönliches Versagen zu entschuldigen.

Etwas von dieser unreinen Substanz ist von allem Anfang an schon in Totenklagen enthalten.

Es gibt mancherlei Gründe dafür, sich an *Gestalten* zu halten, der eine, der wichtige und richtige, wendet sich gegen die Zerstörung. Der andere, der nichtige, gilt der Selbstliebe, die sich unterschiedlich zu spiegeln begehrt.

Beide Gründe spielen zusammen, von ihrem Verhältnis hängt es ab, ob einer zu gültigen oder zu eitlen Gestalten gelangt.

Das Herz ist zu alt geworden und sehnt sich überall hin.

Was man als »endgültig« aufschreibt, ist es am wenigsten. Doch das Unsichere, vielleicht das Flüchtige, hat durch sein Fehlendes Bestand.

Einer, der beweist, was er am wenigsten glaubt.

Zurück zu abgeschlossenen, ruhigen Sätzen, die sicher auf Füßen stehen und nicht aus allen Poren triefen.

Wie kommst du dir vor, wenn du die Wand vorm Zukünftigen zuziehst?

Musil ist meine Vernunft, wie manche Franzosen es immer schon waren. Er gerät nicht in Panik oder läßt es nicht merken. Drohungen hält er stand wie ein Soldat, aber er *versteht* sie. Er ist empfindlich und nicht zu erschüttern. Wem vor Weichheit graut, kann sich zu ihm retten. Man schämt sich nicht zu denken, daß er ein Mann ist. Er ist nicht nur Ohr. Er kann durch Schweigen beleidigen. Seine Beleidigung tröstet.

Immer mit den falschen Dingen beschäftigt. Kennst du die richtigen?

Dieselbe Angst, seit siebzig Jahren, aber immer um andere.

Ohne zu lesen fällt ihm nichts mehr ein. Es verbindet sich nichts mehr mit nichts. Alles bleibt abgelöst und schwankend für sich. Ein lockeres Gelände von Halmen, die weit auseinanderstehen, nicht dicht wie Gräser.

Er kriegt's nicht aus dem Kopf, daß es *alles* vielleicht umsonst ist. Nicht etwa nur er allein, alles.

Er kann trotzdem nur so weiterleben, als ob es nicht umsonst wäre.

Pj.: Ich sehe das Zimmer. Ich sehe sein Bett, seine faulenden Zähne. Wie hat er es fertiggebracht, so lange zu leben. Das habe ich mich noch bei keinem gefragt. Er knabberte an den Hälsen ältlicher Frauen, sie ließen ihn gewähren. In Paris sah ich ihn einmal im Hof der Sorbonne, da höhnte er unerbittlich über die Studenten, seine einzige Härte, er war sonst zärtlich und weich. Ich habe Pj. sicher zehn Jahre, vielleicht noch länger nicht gesehen. Aber früher, wenn ich nach Paris kam, benahm er sich zu mir so, als wären wir altvertraut, er nannte mich, als einziger, bei meinem Vornamen. Es gab beinahe nichts, das uns gemeinsam war, obschon er mir mit solcher Vertraulichkeit entgegenkam. Ich wußte, er war in Lagern gewesen. Er scheute sich nicht, dafür geehrt zu werden. Aber was er sich eigentlich herausnahm, war, daß er sich in nichts mehr fügte, in keine Regel, keine Ehe, keinen Ablauf, keine Kleider. Alles was er trug, schlotterte an ihm, abgetragene Geschenke von anderen, und da man ihn nie anders als in Schlottergewändern sah, hatte er viel von einem Clown an sich, der immer lächelte.

Er war im »Totenhaus« von Dostojewski, aber er lebte allein. Er wußte, daß darin seine Anziehung lag. Er war entlassen und immer noch dort. Er lächelte und grinste über seine Freiheit. Er kam mir glücklich vor. Vielleicht habe ich ihn darum, nach dem Tod meines Bruders, nicht mehr ertragen.

Du entrinnst keiner Bedeutung. Zu allem wirst du entstellt werden. Vielleicht warst du bloß um des Entstelltwerdens willen da.

Sehr viele Leute können nur in Namen leben. Sie eignen sich die Namen bekannter Menschen an und verwenden sie unaufhörlich. Es ist dann beinahe gleichgültig, was sie über solche sagen, wenn sie nur die Namen *nennen*. Namen sind ihre Spirituosen. Sie fürchten nicht, sie zu verbrauchen, andere Namen kommen nach, sie sind immer auf Ausschau danach, wenn es nicht anders geht, holen sie sich's aus Nekrologen.

Pfandleiher für Ruhm.

Völker entdecken, was sie einander schulden. Verschuldungs-Feste.

Ein Jahr aus Inseln.

Ein Ort, den kein berühmter Mann je betrat, ein keuscher Ort.

Der Schatz des Gesehenen als Schatz der guten Werke.

Erinnerungen rechtfertigen? – Unmöglich.

»Eine Traube, die eine andere sieht, wird reif.«
Byzantinisches Sprichwort.

»Eine gleiche Art von ernster Lieblichkeit strahlte aus seinem Gesichte, als er mit innigem Entzücken erzählte: wie er einst eine Schwalbe in seinen Händen gehabt, ihr ins Auge gesehen habe, und wie ihm dabei so gewesen wäre, als hätte er in den Himmel gesehen.«
Wasianski: Immanuel Kant in seinen letzten Lebensjahren.

Das Schwerste für den, der an Gott nicht glaubt: daß er niemanden hat, dem er danken kann.

Mehr noch als für seine Not braucht man einen Gott für Dank.

Eine schlimme Nacht. Ich will nicht lesen, was ich in ihr geschrieben habe. Es war sicher schwach, es war *unerlaubt,* aber es hat mich beruhigt.

Wieviel darf man sich zur Beruhigung sagen und wie wirkt es weiter?

Du bist nicht der einzige, der nicht vergißt. Wieviel ebenso Empfindliche hast du verletzt, die es nie verwinden werden.

Niemand versteht die unterirdische Vorarbeit des Zorns.

Sie stellten ihm die Wahl eines Gliedes frei, das nicht gegessen werden würde: dankbare Kannibalen.

Jedesmal, vor jeder Wiedergeburt, setzte er sich zur Wehr.

Noch immer sind es von den alten Völkern die Ägypter und die Chinesen, die ihn am meisten interessieren: die Schreiber.

Schönheiten, ja, aber nicht in der Sprache, in der du schreibst, in *anderen* Sprachen.

Er begreift niemanden, den er nicht beleidigt hat.

Er stellt sich vor, wie alt er wäre, wenn ihm niemand gestorben wäre.

Geheim leben. Gäbe es etwas Herrlicheres?

Ein Gebiet, so groß wie Europa, bewohnt von vier Menschen.

Was Einsamkeit sei, frägt er, und wie viele man gekannt haben müsse, bevor man einsam sein dürfe, und ob es eine Belohnung sei, die man abzusitzen habe und ob dann eine Strafe unter vielen auf dem Fuße folge.

Es zeigt sich, daß die Schöpfung erst bevorsteht, – und wir, wir seien da, sie zu verhindern.

Er ertappt sich bei jedem Gefühl.

Nichts mehr zuspitzen. Gedanken in ihrer Nacktheit abbrechen.

Das Großartige an Schopenhauer ist seine Bestimmtheit durch ganz wenige frühe Dinge, die er nie vergessen hat, die er sich nie entstellen ließ. Alles Spätere ist nichts als solide Verzierung. Er verbirgt nichts darunter. Es ist auch nichts unbewußt. Er liest, um sich das Frühe zu bestätigen. Er erfährt nie Neues, obwohl er immer lernt.

Auch in hundert Jahren hätte er das Frühere nicht ausgetragen.

Jeden Tag versucht ein anderer von seinem Namen ein Stück abzubeißen.
Weiß denn niemand, wie bitter das schmeckt?

Er besinnt sich auf alles Nichterfahrene.

Danke sagen? Nein. Aber mit Dank überschütten!

».. . und wie sie für das ›Unbewußte‹ geschwärmt haben, als es Mode war, so werden sie jetzt für den Aristokratismus schwärmen, weil es Mode ist.«
                           Paul Ernst, Fr. Nietzsche 1890.

Daß die, die das Entsetzen der Macht begreifen, nicht sehen, wie sehr sie sich des Todes bedient! Ohne Tod wäre die Macht harmlos geblieben. Da reden sie über Macht daher, meinen, gegen sie anzurennen und lassen den Tod links liegen. Was sie für natürlich halten, geht sie nichts an. Es ist nicht weit her mit ihrer Natur. Ich habe mich schlecht in der Natur gefühlt, wenn sie sich für unabänderlich gab und ich sie dafür hielt. Jetzt, da überall, auf allen Seiten, in allen Richtungen ihre Abänderlichkeiten aufscheinen, fühle ich mich noch schlechter, denn es weiß von den Abänderern keiner, was nie und unter keinen Umständen abgeändert werden *dürfte*.

Es ist nicht so, daß infolge der Bedrohung die Bedeutung der Vergangenheit für ihn abnimmt, im Gegenteil, er spürt ihr noch weiter zurück nach, als wäre dort die Bruchstelle zu finden, die man kennen müßte, um der Bedrohung mit Glück entgegenzutreten.

Es gibt aber viele Bruchstellen und jede ist sich die einzige.

Juan Rulfo: »Ein Toter stirbt nicht. An Allerseelen spricht man mit ihm und gibt ihm zu essen. Die betrogene Witwe geht ans Grab ihres verstorbenen Gatten, hält ihm seine Ehebrüche vor, beschimpft ihn, droht ihm, sich zu rächen. Der Tod in Mexiko ist nicht heilig und nicht fremd. Der Tod ist das Alltäglichste, was es gibt.«

. . .

»Und was, Herr Rulfo, empfinden Sie, wenn Sie schreiben?«

»Gewissensbisse.«

Wenn alles einstürzt: es soll *gesagt* sein. Wenn nichts mehr bleibt, – wir wollen wenigstens nicht gehorsam abtreten.

Ich fühle keine Schwäche, solange ich daran denke, wozu ich noch da bin. Sobald ich nicht daran denke, fühle ich Schwäche.

Von Menschen fühlt er sich vergewaltigt, von Bildern belebt.

Nicht um Nachsicht bittet er, er bittet um Vielsicht.

Soutine: »Ich habe einmal den Dorfschlächter den Hals einer Gans aufschlitzen sehen und wie er das Blut auslaufen ließ. Ich wollte schreien, aber sein fröhlicher Blick schnürte mir die Kehle zu.«

Soutine betrachtete seine Kehle und fuhr fort. »Diesen Schrei fühle ich hier immer noch. Als ich als Kind ein primitives Porträt meines Lehrers zeichnete, versuchte ich mich von diesem Schrei zu befreien, aber umsonst. Als ich den Ochsenkadaver malte, war es noch immer dieser Schrei, den ich loswerden wollte. Ich habe es noch immer nicht geschafft!«

Soutine zu Emile Szittya.

Es ist in der Unduldsamkeit, mit der man Menschen auffaßt, eine schlimme Kraft, es ist, als würde man ihnen mit beiden Händen den Mund zuhalten, damit sie nicht beißen können. Sie wollen aber gar nicht immer beißen, wie weiß man, was sie wollen, wenn man mit Gewalt ihren Mund versperrt? Vielleicht wollen sie etwas *sagen*, was nie wieder gesagt werden kann? Vielleicht wollen sie stöhnen? Aushauchen?

Alles versäumt man, das Unschuldigste, das Beste, weil man ihre Zähne fürchtet.

Sein Stolz war, sich nicht zurechtzufinden. Jetzt ist er schwach und schaut auf den Weg.

Es war die Rache der Geschichte, was er am meisten an ihr gehaßt hat.

Kein Wunder, daß du die alten Chroniken lieber hast, die so *wenig* wissen.

Alle Vergessenen meldeten sich in ihm und holten sich ihre Gesichter.

Die Lobesworte, die das Lauterste besudeln.

Soll man von Zeit zu Zeit Verrat an sich begehen, nämlich das Unmögliche eines Beginnens vor sich anerkennen und die Konsequenzen daraus ziehen? Warum gefallen einem die Menschen so viel besser, die das nicht können, die sich sozusagen zu Tode glauben?

Für manche Verwirrungen gibt es keine Religion.

Nicht mehr zubeißen, den Mund der Sätze offenlassen.

Der Dichter, dessen Kunst in seiner Distanzlosigkeit besteht: Dostojewski.

Man drückt seine Zeit am meisten durch das aus, was man *nicht* von ihr annimmt.

Er hat Gott nie gefragt.

Klarheit will er nur dort, wo er Einblick gewährt. Überall sonst fragende Dunkelheit.

Es wird die Form von »Masse und Macht« noch zu seiner Stärke werden. Mit der Fortsetzung hättest du dieses Buch durch deine Hoffnungen zerstört. So wie es jetzt ist, zwingst du die Leser dazu, *ihre* Hoffnungen zu suchen.

Er möchte selbstlos sein, ohne sein Werk zu verleugnen. Quadratur des Dichters.

Er aß zum Schein, um den Gastgeber nicht in Verlegenheit zu bringen. In seinem Lande die Leute hatten sich essen längst abgewöhnt und man hörte nicht das Schreien geschlachteter Tiere. Man lebte von Luft, dort war sie gesunde Nahrung, ihre Aufnahme war nicht an bestimmte Zeiten gebunden, man wußte nie, daß man aß und Teller wie Gabel und Messer dienten nur als archaischer Schmuck. Für Reisen in Länder der Essenden hatte man die Gesten der Barbaren gelernt, wie eine exotische Sprache, und verstand sich darauf, sich hungrig zu stellen, ohne etwas zu sich zu nehmen.

Feinde, sagt er, und seine Wüste belebt sich. Die Sonne sticht zu und schwebende Vögel verdursten.

Dort sind die Leute am lebendigsten beim Sterben.

Dort hält man sich an einem Spottnamen, den keiner kennt, aufrecht.

Dort gehen die Leute in Reihen aus, es gilt als unverschämt, sich allein zu zeigen.

Dort muß jeder, der stottert, auch hinken.

Dort werden die Hausnummern täglich gewechselt, damit keiner nach Hause findet.

Dort hat man einen anderen für Schmerzen, eigene gelten nicht.

Dort gilt es als unverfroren, *dasselbe* zu sagen.

Dort knüpft ein Satz an den andern an. Dazwischen sind hundert Jahre.

Die zerschnittenen Religionen, zu Lesefrüchten aneinandergereiht, ihres Atems beraubt und dadurch entstellt.

Eine Lehre kann so richtig sein, daß man sie darum wegwirft.

Wie wunderbar nimmt sich der Buddhismus aus neben unseren Lebensverneinern!
   Lebensekel, aber tausend Wiedergeburtsgeschichten.

Schön wäre es zu verschwinden. Unauffindbar. Schön wäre es, nur selber zu wissen, daß man verschwunden ist.

Er verübelte sich die Zusammenhänge.

Einer, der sich an jeder Ecke selbst verhaftet.

Am meisten wünschst du dir – wie bescheiden! – eine Unsterblichkeit des *Lesens*.

Es tut ihm um jedes Wort leid, das mit ihm stirbt.

Einen einzigen Namen *verstehen*.

Das Folgenreichste an Aristoteles: seine Ausführlichkeit.

»Um Schlangen zu quälen, stecken die Kinder sie in einen Sack von ungelöschtem Kalk und schütten dann Wasser darauf; das Zischen der Schlangen, während sie die Pein des Verbrennens erleiden, nennen die Kinder *das Lachen der Schlangen*.«

Ein künstliches Bein für eine Gazelle. Sie kratzt sich damit ihr Fell.

Die Ehren stellen sich alle nebeneinander auf und schnappen nach Geehrten.

Es denkt nichts. Es ist glücklich. Es sieht meinem Bleistift zu und lächelt.

Die späten Religionen, und du wirst nichts von ihnen wissen. Vielleicht sind es Religionen ohne Opfer.

Soviel Menschen, die man nicht ernst nehmen konnte, waren einem wohlgesinnt, und wie viele, die man ernst nahm, wollten nichts von einem wissen!

Das Anziehende am Gedanken einer Seelenwanderung ist die Vorstellung, daß Tiere dadurch zu Seelen gelangen und sehr hochgestellt werden (wenn auch nicht so hoch wie Menschen, denn es ist eine Strafe für eine Seele, in einen Tierkörper einverleibt zu werden).

Weniger akzeptabel wäre, daß man durch diese Wanderung seiner Seele in irgendein Tier zu einem ganz anderen Wesen wird und dann für die Dauer eines Lebens dieses andere Wesen *bleibt*. Die Verwandlung, an sich anziehend, müßte frei sein und dürfte nicht verfügt werden. Vor allem müßte auch immer die Möglichkeit bestehen, zu sich, wie man jetzt in diesem Leben ist, zurückzukehren. Der Hauptakzent liegt für mich also immer auf diesem Leben jetzt, es ist ein Zentrum der Welt, das ich als Zentrum bewahrt wissen möchte, mit seiner Flüchtigkeit kann ich mich nicht abfinden; selbst wenn etwa die Seele, von ihren Taten beladen, bestehen bleibt. Wenn ich aber Zentrum sage, meine ich keineswegs, daß es das einzige oder wichtigste Zentrum sei, sondern eines unter unzähligen, und jedes ist wichtig.

Mein »Starrsinn« besteht darin, daß ich kein Leben,

kein einziges, preisgeben kann, jedes ist mir heilig. Das hat aber mit dem Verdienst eines Lebens nichts zu tun, nicht mit dem Glanz, nicht mit dem Ansehen, das einer sich erworben haben mag. Die Auffassung, wonach niedere Seelen bloß als Nahrung für eine höhere zu dienen hätten, scheint mir niederträchtig.

Es muß die Hoffnung bestehen und genährt werden, daß *jede* Seele nicht nur für sich von Wert ist, sondern auch auf irgendeine nie vorauszusehende Weise auch für andere oder sogar für alle anderen Bedeutung gewinnen könnte.

Die Seelenwanderung, sobald sie sich mit einem Karma verbindet, hat etwas Determiniertes, keine der Verwandlungen, die noch bevorstehen, ist frei, es ist ein in alle Zukunft fortgesetzter, zerstückelter Zwang. Das Wunderbare aber und für den Menschen nicht zu Missende an der wahren Verwandlung ist ihre Freiheit. Da eine Verwandlung zu allem, also in jede Richtung möglich ist, ist nie vorauszusehen, zu welcher es wirklich kommt. Man steht an einem Scheideweg, der sich in hundert Richtungen eröffnet und weiß – das ist daran das Wichtigste – nie zuvor, welche man wählen wird.

Die planende Natur des Menschen ist eine spät aufgesetzte, die seine eigentliche, seine Verwandlungsnatur vergewaltigt.

Es ist alles besetzt und die alten Orte wimmeln.

Ein Brief, der einen glücklich macht. Gleich danach Telefongespräch mit dem Schreiber des Briefes, und er hat ihn gar nicht geschrieben.

Gottesfurcht, daraus ist Gottes Furcht vor uns geworden, und sie ist so groß, daß er sich versteckt hält und keiner zu ihm findet. Er fürchtet das unverschämte Gesicht des Menschen und daß der, den er erschuf, vertraulich einen Arm um ihn legt und ihn, der ihn erschaffen hat, beschwichtigt. »Fürchte dich nicht, wir sind noch da, deine Kreaturen werden dich beschützen!«

Niemand bekannt das Geheimherz der Uhr.

Du sollst so alt werden, bis du es nicht mehr merkst.

Der Nationen-Prasser, der von ihnen allen kostet.

Der Lästerer, der den Lobpreisern nachfährt, zur Belebung der Szene.

»Ich glaube nicht, daß es ganz unmöglich wäre, daß ein Mensch ewig leben könne, denn immer Abnehmen schließt den Begriff von Aufhören nicht notwendig in sich ein.«   *Lichtenberg.*

Als der verwunderlichste Mensch, den ich kenne, kommt mir zur Zeit X. vor. Er grollt mir dafür, daß ich 50 Jahre nach seinem Feuertod nicht Peter Kien bin.

Einer, der immer lügen muß, kommt darauf, daß jede seiner Lügen wahr ist.

Wie lange könntest du ohne Bewunderung leben? Noch ein Grund für die Entstehung von Göttern.

So war die erste instinktive Reaktion die richtige. Als vor etwa 50 Jahren die Briefe von Nietzsches Mutter erschienen, packte mich die Wut, am kranken Nietzsche habe ich den »Willen zur Macht« durchschaut und nie habe ich mich seither zu einer Konzession an Nietzsche verführen lassen.

Es war alles von Anfang an da. Wenn es je ein prädestiniertes Denken gegeben hat, so war es dieses. Dieses Geschwisterpaar! Feindlich und ähnlich! Der brüllende Irre im Hause der Mutter und die Schwester, die es beinahe zur Exzellenz bringt. Der Ekel am Christentum, der ein Ekel an Naumburg war und das Ende im Weimar Liszts. Das Vorbild Bayreuth, für beide, doch er dort verschmäht. Sein Aufstieg durch diese Schwester.

Der eigenartigste Überlebende war Nietzsche, der es zwölf Jahre nicht von sich wußte.

In seinem Schüler findet er sich so zusammengesetzt, daß er ihn gern wieder auseinandernehmen möchte.

Das *Verrohende* des Ruhms.

Die »Fortuna« ist allen unerträglich geworden. Es gibt keinen *Platz* mehr für sie auf der Erde.

Dringliche Vorstellung, daß die Erde eine bestimmte *Dichte* an Menschen erlangen muß, vorher darf sie nicht explodieren.

Er ist mir auf der Spur. Aber es stört ihn, daß ich seinen Spuren von mir auf der Spur bin.

Es ist gut, daß einiges von ihm unbekannt bleibt, als Ausgleich, denn der Überdruß an seinem Bekannten wird ihm unerträglich.

Wenn er wüßte, wen er *zuletzt* sehen wird, würde sein Leben anders verlaufen.

Nichts widerwärtiger als amor fati: der kranke Nietzsche brüllend bei seiner Mutter.

Es ist schwer, ein Leben zu schreiben und die Vergänglichkeit in nichts anzuerkennen.

Wie kann ich mich langweilen, solange ich Worte kenne?

Jeder Ort, der dir Sätze erlaubt, ist ganz. Zerbrochene Orte stammeln.

Wenn es alles ineinanderpaßt, wie bei den Philosophen, hat es nichts mehr zu bedeuten. Getrennt verletzt es und zählt es.

Seit die Gefahr so nah ist, ist ihm die Klage verhaßt.

Das Lähmende der allgemeinen Hoffnungslosigkeit: eine Täuschung. Alles geht weiter wie zuvor und nur die grauen Worte gleichen sich allerorts einander an. Außer dem Lippenbekenntnis zur Angst scheint nichts ungewöhnlich.

Alles was er sich aus mir herausbeißt, schickt er mir mit Alpenkräutern verpackt zu.

Er verläuft sich in Geschichtsbücher. Auf die Zeit kommt es ihm nicht an und schon gar nicht auf eine unerlangbare Wahrheit. Worauf kommt es ihm denn an? – Auf *andere Namen.*

Es ist dort so kalt, daß die Namen gefrieren.

Er blieb so lange allein, bis er da war.

Gestern den ganzen Tag in Entsetzen über die Gefahr: das abgeschossene Flugzeug.

So, genauso kann es beginnen und ist gleich zu Ende. Es gibt kein Wort mehr dafür, keinen Ablauf und keine Dauer.

Haben wir es so sehr verdient? Geschieht etwas nach Verdienst? Sind wir selbst die letzte Instanz? Sind wir darüber wahnsinnig geworden? War es von Anfang an alles wahnsinnig? War ein Anfang? War schon das Ende?

Für *wie lange* hat Gott sich versteckt?

Alle Massenmorde: frühe Omina.

Du hast es gewußt. Du hast es nicht gesagt.

War das deine Hoffnung?

Der Hohn, den er für andere hatte und den er sich nicht mehr erlaubt, fällt nun ganz auf ihn.

Man muß sich dem Eigenen zuwenden, um es *neu* zu hassen. Es erlahmt in der Zufriedenheit des Vergessens.

Eine blinde Bibel.

Bei jedem herausfinden, wen er beneidet.

Er wird alt und will noch in aller Eile Menschen finden, die er respektiert, Menschen, die sich nicht mehr in ihm verändern werden. Heißt das, daß alle, die er früher gekannt hat, in ihm zu Ungeheuern geworden sind?

Feierlichkeit ist dir erlaubt, nur nicht die deiner Herkunft.

Kann man noch etwas erfinden, ohne sich davor zu fürchten?

Wie gern er die ausfragen möchte, die ihn zu eben diesem Zweck überfallen!

Man braucht Namen, an denen man nicht mäkelt, nichts braucht man mehr.

Störungen aus der Nachwelt.

So viele kennt er besser als sich und kehrt doch immer wieder zu sich zurück, den er kennen möchte.

Man muß so leben, als ob es alles weitergehen würde. Muß man das wirklich? Auch wenn man stündlich daran denkt, daß es in 50 Jahren keinen Menschen mehr geben könnte?

Noch kann er »Mensch« *sagen*, noch wendet er sich nicht angeekelt oder gelangweilt ab.

Hören kann er es nicht.

Der Mann, den es treibt, allen etwas Schönes zu sagen. Er ist kein Schmeichler. Aber meint er es? Verwunderung ist die Reaktion der meisten. Viele werden süchtig danach und suchen ihn, um wieder etwas zu hören. Aber diese spricht er nicht mehr an. Er braucht andere, Neue, denen er sein Schönes sagt.

Häßlichen lauert er auf. Er holt sich Leute aus dem Zwielicht. Es ist nie mehr als einer allein.

Dieser Respekt vor einem Geist, dessen Person er verabscheut! Am meisten beunruhigt ihn, daß es vielleicht gar nicht darauf ankommt, *wer* etwas denkt.

Leute, die *jedem* seiner Gedanken nachzuschleichen vermögen. Was machen sie nur damit?

Wie verhindert man Anhänger? Es ist nicht gut für sie. Aber warst du nicht selber einer? Und wie! und wie! Es war auch für mich nicht gut. Ich habe fünfzig Jahre gebraucht, es zu verwinden.

Besser bremsen! Du fühlst zu *weit*.

Nichts, nichts, nichts weißt du. Aber bist du darum ein Nihilist?

Alles was geschehen ist, und dir geschah es nicht? Wie willst du dich ernst nehmen?

Was fürchtest du? Die Zerstörung, die noch keinen Namen hat. Wie einfach wäre es, wenn Gott helfen könnte. Auf unerwartete Weise hilft er. Um weiter zu ihm beten zu können, wollen Gläubige die Erde retten.

Weniger Überzeugungen? – Was wäre dann besser?

Nicht einmal auf die Rechthaber kann man sich verlassen. Es gibt welche, die plötzlich beschimpfen, was sie in den Himmel gehoben haben und auch damit recht behalten wollen.

Wären Lichtenbergs Sudelhefte mit 200 langweilig geworden?

Zu*viel* Vergangenheit, erstickend.
Aber wie herrlich war die Vergangenheit, als sie begann.

Wenn *die* mit der Aussicht auf die *Hölle* durchgehalten haben, – warum nicht wir mit *unseren* Aussichten?

Besser will es nicht werden, aber vielleicht langsamer?

Aus jedem Jahr zwölf Tropfen. Steter Tropfen? Welcher Stein?

Irrtümlich in die Literaturgeschichte gerutscht, nicht mehr wegzukriegen.

Er kam nach Hause. Alles war da. Der Tisch hatte sich aufgelöst. Er setzte sich hin und schrieb in Luft.

Späte Nachwirkung von Gesprächen, als habe man erst nach Tagen verstanden, was man doch selber gesagt hat.
  Worte, die sich erst allmählich öffnen.
  Worte, die gleich da sind, wie Geschosse.
  Worte, die sich durch Osmose im Empfänger verändern.

Er fürchtet die Verwicklungen, die er *in sich* bewirkt, wenn er zu anderen spricht. Der Nachhall seiner Worte.

Der Paranoiker ist nirgends unterwegs. Alles Äußere wird zu einem Teil seines inneren Labyrinths. Er kann sich nicht entkommen. Er verliert sich, ohne sich zu vergessen.

Nach einiger Zeit gerät er unweigerlich ins Prahlen: alle sehen den bescheidenen, umgänglichen Mann an und fragen: wer ist das?

Seit sie fliegen, bauen sie scheintote Häuser.

Wer hätte, in jener Schule von K. K., Polemik nicht erlernt? Doch ist mir, in tiefster Seele, Polemik zuwider. Ich streite nicht gern. Ich höre den anderen. Ich sage meine Sache. Aber daß der andere und meine Sache kämpfen, nein, das ist das letzte, was ich wünsche. Kampf hat für mich etwas Obszönes.

Manchmal sagt man sich, daß alles gesagt ist, was gesagt sein konnte. Da ertönt eine Stimme, die zwar dasselbe sagt, aber es ist neu.

Dann erhob sich mit einer leichten Handbewegung die Zartheit und alle Explosionen schwiegen.

Ach, welche Landschaften sind dir entgangen! und du bist voll von drängend unerlösten Bildern.

Ein Spätwerk aus Briefen.

An den ältesten Menschen wäre das Beste, daß sie so viel Verlorene zurückholen möchten. Ihr Respekt für die Überlebten müßte so groß sein wie das Gefühl ihrer eigenen Verlassenheit und wenn es möglich wäre, einen zurückzuholen, sollten sie ihn mit dem Anerbieten einiger ihrer eigenen Jahre willkommen heißen.

»Man darf wohl sagen, daß derjenige, der sich nicht in die Freuden und Leiden aller lebenden Wesen einfühlen kann, kein Mensch ist.«

Tsurezuregusa.

Die Überlebens*schuld*, die du immer gefühlt hast.

Er behält sich die Sehnen der Sprache und verschüttet ihr Blut.

Es ist das hohe Wunder des menschlichen Geistes: Erinnerung, und dieses Wort dafür ergreift mich, als wäre es selbst uralt, vergessen und wieder heraufgeholt worden.

Broch hat aus Sonne seinen Vergil gemacht. Darf ich ihn nicht, wie er war, bei seinem Namen nennen?

Wer hat es gewagt, den Göttern der Ägypter die Tiermaske vom Kopf zu reißen?

Der Vater als Wolf, mein erster Gott.

Genies der Anpassung, die nichts zu sagen haben. Genies? Ja, es sind höchst vollkommene Exemplare ihrer Art, die die Hauptanlage des Menschen beispielhaft, zur Abschreckung nämlich, auf die Spitze treiben.

Die Tiere! Die Tiere! Woher kennst du sie? Von allem, was du nicht bist und zur Probe gern wärest.

Es gibt eine Grundanmaßung des Schreibens schon seit den Ägyptern: die des Verzeichnens.
Seither ist nichts vergessen und alles setzt sich durch *Verzeichnetsein* fest.

Er will keine andere Welt mehr entwerfen, auch keine, die aufregend oder wunderbar wäre, es gibt nur diese.

Wird Empörung das letzte sein? Schmerz? Dank? Vergeltung?

Schöne Dörfer, in denen Zerfetzungen gepflanzt werden.
Ich sehe es überall, damit es nicht wahr wird, ich versuche, *es wegzusehen*.

Die Posen, wo sind die Posen? Wer fordert wen? Wer stellt wen?

Nun hat ihn wieder einer erklärt und weiß es besser und verspricht, über ihn nie den Mund zu halten.

Vor wem hat er sich nicht gefürchtet? Aber weiß er denn, wer sich vor ihm gefürchtet hat?

Wie sehr man liebt und wie vergeblich, das ist das Eigentliche.

Alle, die Nietzsche befruchtet hat: sehr Große, wie Musil, und alle, die er unberührt ließ: Kafka.
Auf diese Trennung kommt es mir an:
Hier war Nietzsche.
Hier war Nietzsche nicht.

Der spanischen Literatur getreuer deutscher Ableger.

G. sagt das Schicksal der Preisträger voraus:
Selbstmord, Sterilität, Verschollenheit, Abfall.
Ich frage ihn nach dem Schicksal der Nicht-Preisträger.

Von Halley zu Halley, deine Lebenszeit.

Ein Land, wo einer, der »ich« sagt, schleunig in die Erde versinkt.

Du führst dich so auf, als hätte es seit Vorsokratikern und Chinesen nichts gegeben.

Es ist lange her, daß die Schwindler von vorn begannen.

Von kostspieligen Erkenntnissen dröhnt der Himmel.
Er kann keine Landschaft sehen, ohne sich in sie zu verkriechen.

Alles was du dort zerrissen hast. Werden die Götter dir für diese Menschenopfer Dank wissen?

Was bleibt, bestimmst nicht du. Versuche nicht, es zu bestimmen.

Glaub ihm nicht, er dichtet, um gedeutet zu werden. Die Klaren haben den glücklichen Nachteil, daß sie nicht auf genug Deutewillige stoßen. Wenn diese sich aber plötzlich aus irgendeinem Grunde vervielfachen, wird alles dunkler.

Nichts war für dich besser als Erniedrigung, denn du hast nichts tiefer empfunden.

Ohne sie zu lesen, *bist* du in der Bibel.

Glaub nicht, daß irgendein Gott auf dich Rücksicht nimmt. Erbarmen, – gewiß nicht, aber es will auch kein Gott dir etwas rauben.

Zwischenleben im Fegefeuer und es ist wie im Paradies. Gewonnene Tage, atmende Hoffnung.

Weniger Ängste über geglückte Gegenwart.

So leben alle, die es nicht wahrhaben können, was ihnen bevorsteht. So leben sie besser.

Wage es noch, sie zu verachten!

Ach, wie sie mich ekeln, die absichtsvoll verrätselten Worte!

Einer, der Götter vergräbt und einer, der sie nie findet.

Er schämt sich nicht, ihm seine eigenen Schrumpfgedanken unterzulegen.

Schweig und schenk ihnen ihre Schuld!

Wie hast du dich gewehrt gegen alles, was *Karma* bestätigt! Wie milde erscheint dir jetzt selbst dieser entsetzliche Glaube!

Du trauerst ihnen nach, den sterbenden Sprachen, den sterbenden Tieren, der sterbenden Erde.

Er spricht unaufhörlich, bis alles zerfällt.

Noch ist die Asche dort. Noch ist sie nicht verstreut. Noch spürt er ihre Leichtigkeit. Noch schreibt er ihr Ahnung zu.

Der Tod als *Beleidigung*. – Aber wie ist das darzustellen?

Was du *nicht* gesagt hast, wird besser.

Er sieht so verhalten aus: Augen wie destilliertes Wasser.

In meinen treibenden Vorstellungen verdanke ich Sonne nichts, wohl aber in der andauernden und gesammelten Bereitschaft zu ihnen.
 Die hat er vollkommen verkörpert, wie niemand zuvor. Ich konnte ihn immer finden. Er stand mir über alles Rede. Wenn er ihn je gehabt hat, – *sein* Ehrgeiz war überstanden. Trotz dem großen Verzicht blieb er als durchdringender, wacher Geist am Leben. Er ist der einzige Mensch, den ich nie, auch nicht in Gedanken, verletzt habe.

Ihn trägt der Tod, den er nicht duldet.

Dort gehen sie aufrecht und brechen entzwei.

Er fordert jeden zurück, der sich geirrt hat. »Überleg dir's wieder! Du kannst zurück.«

Welch ein Augenblick, wenn einer wieder die Augen öffnet!

Die großen Worte versagen jetzt auch bei dir, welche kleinen bleiben?

Möchtest du lieber in Andeutungen leben?

Landschaft als Pracht-Uniform.

Einer, der die Gabe hat, von jedem vergessen zu werden.

Zweierlei Plünderer: dankbare und gehässige.

Inzwischen hatten sich die Götter heimlich umbenannt.

Selbstmord durch den ein andres Leben zu retten wäre, – erlaubter Selbstmord?

Er liest über sich und merkt, es war ein anderer.

Die Alten, die immer weniger wissen, aber mit Würde.

Seine großen heiligen Bücher, die er nicht kennt. So heilig sind sie, daß er es nicht wagt, sie aufzuschlagen.

Er glaubt nur denen, deren Sprache er nicht versteht.

Am liebsten macht er Beschränkte zu Freunden, ihre Unermeßlichkeit.

Zu erdenken wäre ein Ewiger, der nicht alt ist. Einer, der nur scheinbar, nicht innerlich überlebt hat. Denn da er schon vor jedem anderen da war, ist er in keinem Zeitablauf vergleichbar. Es geht niemand so weit zurück wie er, so mißt er sich mit keinem. Alle, ausnahmsweise, treten zu *anderen* Zeitpunkten an. Eine begehrenswerte Figur, abseits von allem, nicht *in* allem, auch in seiner Abseitigkeit unbekannt und unverständlich.

Er trauerte voraus, Jahre vorher, er trauerte seit seiner Geburt um sie, lang bevor er sie kannte, er hat sie kennengelernt, um zu wissen, warum er trauert.

Das Ausstoßen von Begriffen wird zur Notwendigkeit, wenn man sie zu oft gehört hat: Auswurf des Geistes. – So geht es dir heute mit Fetisch, Ödipus und anderen Scheußlichkeiten. So wird es anderen ergehen mit Masse, Meute, Stachel.

Ablösen kann ich nichts. Immer hängt ein Mensch daran.

»Ich sterbe vor Durst, gib mir von den Wassern des Gedächtnisses zu trinken.«

Orphisch.

Wen enthalte ich noch, der entlassen sein will. Wen entlasse ich nicht?

Einzelne Buchstaben lösen sich von selber heraus und entfallen, es ist rätselhaft, welche.

Die bösen Worte fallen dir vom Bleistift wie Würmer von der Nase Enkidus.

Verzeih ihm nicht, er schmilzt.

Er steht vor dem Spiegel und zeigt sich die Zähne. Er fürchtet nur noch sich.

Nicht langsamer werden vor dem Tode: rascher, rascher.

Wo Erinnerung an die der anderen grenzt.

Diese Städte, die so reich und groß sind, daß man sich auch in der Erinnerung an sie erst *zurechtfinden* muß.

Er schöpfte Gott aus allen Krügen.

Unerträglich ein Leben, von dem man zuviel weiß.

Expeditionen auf die verlassene Erde. Suche nach den Schuldigen. Der Fund.

Sein Volk ist ihm nicht alt genug. Was Jordan! was Sinai! Früher, früher!

Wen erträgt er noch, außer sich? Und wenn er schließlich so weit ist, daß er auch sich nicht erträgt, wie macht er es dann, daß er sich von sich trennt?

Der sich immer betrachtet, so oder so, worüber könnte er noch lachen?

Dort liegt jeder woanders und es gibt nichts als *falsche* Gräber.

Du hast unter Tieren nicht einen einzigen Freund. Nennst du das Leben?

Lesen, bis man keinen Satz mehr versteht, das erst ist Lesen.

Die Kürze des Wegs in der Satire wird ihm unerträglich.

An der Selbstzufriedenheit der Orte entschlafen.

Der Lärm verfloß, und er wurde Niemand. Dieses Glück!
und daß er's noch erlebt hat!

Berauschende Atempause. Wieviel ist gewonnen? Ein
Winter, ein unendlicher Winter?

Sind sie dir nicht zu wichtig geworden, deine frühen Menschen? Hast du vergessen, wer heute die Welt verscherzt?
   Bedeutet es Reife, daß man immer weiter zurückgeht?
Retten und bewahren, gewiß. Aber ist jetzt nicht mehr auf
dem Spiel, alles?

Er sagt bloß nein, um sich darin zu üben.

Einer, der nicht auf der Welt sein darf: wie er sich aufführt
(exemplarische Novelle).

Der soll sich melden, der aus den Erfahrungen anderer gelernt hat. Aus den eigenen?

Er braucht Leute, die ihm seine Schmerzen nachtragen.

S., der auf dem Heimweg zu Tode abstürzt. Er hatte das Trinken aufgegeben, betrunken war er nie gestürzt.

Das Toben der Stummen.

Er kommt sich schöpferisch vor, wenn er »Gott« sagt.

Er bildet sich auf seinen dummen Trotz etwas ein. Aber ist der Fügsame schlauer?

Liebe zu jedem Wort, das man gehört hat. Erwartung für jedes Wort, das man noch hören könnte.
Unersättlichkeit für Worte.
Ist das Unsterblichkeit?

Die Geste des Reisens. Er rettet sich von einer Stadt in dieselbe.

Verkürzung der Philosophen zu Spielkarten.

Goya im Alter: sein häßlicher Erbsohn. Das neunjährige Mädchen, vielleicht seine Tochter, die schon Malen lernt. Ihre Mutter, eine Therese, deren Keifen Goya nicht hören kann: seine Taubheit als Rettung.

Ein Vorrat von Toten, zum *Bereuen*.

Er denkt an seinen kläglichen Umgang und an sein inniges Leben, daran auch, daß er im Alter immer bedrängter und stärker liebt, mit seinem eigenen Tod überhaupt nicht, mit dem seiner Liebsten unaufhörlich beschäftigt, er denkt daran, daß er immer weniger »sachlich« sein kann und gleichgültig nie gegen diese Nächsten; daß er alles verachtet, was nicht Atmen, Empfinden und Einsicht ist.

Er denkt aber auch daran, daß er andere nicht sehen *will*, daß jeder neue Mensch ihn bis in die tiefsten Tiefen erregt, daß er sich weder durch Abneigung noch durch Verachtung gegen diese Erregung wehren kann, daß er völlig schutzlos jedem ausgeliefert ist (obschon der's nicht merkt), daß er um seinetwillen zu keiner Ruhe kommen kann, nicht schlafen, nicht träumen, nicht atmen, – daß jeder neue Mensch für ihn ein Ausbund von allen, wichtig, am wichtigsten ist, und wenn er das mit der nützlichen und nicht weniger wachen Ruhe vergleicht, die andere im Alter gewonnen haben, weiß er nicht, was er vorzieht, er würde sich solcher Ruhe schämen, wie er sich seiner Seelennacktheit schämt und wäre gern wie der Ruhige und wäre nicht gern wie er und weiß eines sicher: daß er nicht mit ihm tauschen würde.

Wenn er nichts sagt, hört er noch weniger.

Das Erkennen des *Apollonius von Tyana* als eine ungewöhnliche Form des *Durchschauens*. Da er an Seelenwanderung glaubt, geht es ihm um eine Demaskierung früherer Existenzen. Er will wissen, wer einer *früher* war, und er weiß es.

In einem zahmen Löwen erkennt er Amasis, den ägyptischen König, den Freund des Polykrates. In einem Bettler erkennt er einen bösen Geist und hetzt eine Meute gegen ihn auf, die ihn unbarmherzig steinigt.

»Eine Frau, die einen Elefanten geschenkt bekommt, gibt sich dem Schenker hin. Solche Hingebung um eines Elefanten willen halten die Inder nicht für schimpflich, ja es scheint den Frauen sogar etwas Großartiges, daß ihre Schönheit so hoch wie ein Elefant gewertet wird.«

Arrian.

Er löst sich auf, wenn er nicht erzählt. Welche Macht der Rede, der eigenen, auf ihn selber!

Sehr wenig Gedanken in einem Leben, ihre stetige Wiederkehr, als wären sie neu und doch vertraut, in Zeit umwickelt wie in Blätter.

Kraniche im Flug, wie sie Buchstaben bilden.

Hyginus.

Ein Land, in dem die Leute auf dem Kopf gehen, wenn sie böse sind.

Einer im Alter müht sich darum zu ermessen, was er durch Reden angerichtet hat.

Eine Gesellschaft, in der alle Worte, die geredet wurden, aufgehoben bleiben, aber ohne daß man Zutritt zu ihnen hat.

Von Zeit zu Zeit, unbestimmbar, öffnet sich ihr Gehäuse und sie ergießen sich unaufhaltsam auf ihren Sprecher.

1985

Trink doch, trink doch, du verdurstest, ohne zu erzählen!

Selbstgefälligkeit: Riesenteleskop.

Die Summe eines Lebens, weniger als seine Teile.

Mit jeder Wahrheit hast du dich so preisgegeben, als ob es eine Unwahrheit wäre.
   Wenn alle es angenommen hätten, würde es schon nicht mehr stimmen. Gefangen in einer Lebensgeschichte: alles Heraufbeschworene ist nun da und agiert weiter. Es läßt sich nicht mehr abstellen oder verbergen. Es fordert sein neues Recht. Es entschädigt sich für lange Verborgenheit. Es wird zornig über Bezweiflung.

Heimweh des Hasses.

Er wäre gern besser, aber es ist zu teuer.

Auf den Glanz herabgekommen.

Zehn Minuten Lichtenberg und alles geht ihm durch den Kopf, was er seit einem Jahr in sich unterdrückt hat.

Laß keinen Tag ohne Zeichen vergehen. Irgendwer wird sie brauchen.

So kurz wie du sein wolltest, bist du noch nie gewesen.

Ein Mann aus Redeteilen.

Sie verachten dich, weil du dich verbirgst. Sie würden dich nicht weniger verachten, wärst du beim Spreizen geblieben.

»Blinde genossen einen besonderen Schutz. Ihre Schuldner wurden gezwungen, an sie zurückzuzahlen, so daß die Blinden sich als Wucherer großen Reichtum erwerben konnten.«

Japan, um 1850.

Das Alter ist abhängiger von seinen Gesetzen. Das Alter ist nicht zufällig genug.

Man hält dir das Zusammenhängende deiner Lebensgeschichte vor, daß alles, was vorkommt, auf etwas Späteres verweist.

Gibt es aber ein Leben, das nicht auf sein Späteres hin

verläuft? Wenn einer 80 geworden ist, kann er sein Leben nicht so schreiben, als ob er sich mit 40 umgebracht hätte. Wenn sein eigentliches Buch nach unsäglichen Zögerungen schließlich da ist und besteht, kann er sich nicht einer Laune zuliebe so stellen, als ob es ihm mißlungen wäre.

Man mag dir also vorwerfen, daß du an »Masse und Macht« glaubst, daß die Erkenntnisse darin – trotz der Leichtfertigkeit, mit der sie beiseite geschoben wurden – ihre Gültigkeit bewahrt haben. In dieser Überzeugung hast du deine Lebensgeschichte geschrieben, ihre Form und zu einem guten Teil ihr Inhalt sind davon bestimmt.

Daß so viel Menschen darin vorkommen und daß manche von ihnen mehr Raum einnehmen als der Erzähler selbst, mag verwirrend erscheinen. Es ist aber die einzige Möglichkeit, die *Wirklichkeit* eines Lebens wiederzugeben, seiner starken Richtung zum Trotz.

Denk an Leute, dann weißt du etwas.

Er verwaltet die Tage, sie sind kostbar geworden. Doch werden sie durch Verwaltung nicht kostbarer.

An den Enden der Ewigkeit. Wann hat sie begonnen? Wann hört sie auf?

Ein Gern-Mächtiger, der es nie sein kann und der darum Historiker ist.

Der Vezier des Bettlers.

Immerzu lehnst du etwas ab und bezeugst es durch Verachtung.

Aber vielleicht werden die Dinge eben durch unaufhörliche Verachtung geringer.

Ob man nur die Erben lieben dürfe, die es um keinen Preis werden wollen?

»Man sagte von ihr, daß sie sechzig Jahre am Ufer des Flusses gewohnt habe, aber nie beugte sie sich nieder, um ihn zu sehen.«

Weisung der Väter.

Er ist 80. Es ist, als hätte er unerlaubt ein anderes Jahrhundert betreten.

An Schopenhauer besticht die Abwendung von Gott, entschieden und unabänderlich.

Ein machtfreies Denken, unter Voraussetzung von Gott, ist unmöglich.

Überdruß am Eigenen, das aber darum nicht schlecht sein muß, nur zu wohl bekannt.

Um vieles wäre Stendhal zu beneiden. Am meisten um die wahrhaftige Ausgesetztheit nach seinem Tod.

Alles wird entstellt und irgendwie feilgeboten werden. Warum soll es wichtig sein, was du gedacht hast? Da du nichts, nicht das geringste ausgerichtet hast, kann es auch verschwinden. Allerdings weißt du nicht, ob es nicht später, in geänderten Zusammenhängen etwas bewirken könnte. Vielleicht *soll* es auch gar nichts bewirken. Vielleicht sollen manche Dinge um ihrer selber willen dasein: aber dann *unentstellt*, nichts weiter.

Jeder Mensch, besonders jeder neue, *belebt* dich auf nicht vorauszusehende, auf unheimliche Weise.

Es beginnt damit, daß du alles loswerden willst, was du bist und den Gesprächspartner, der sich nicht wehren kann, damit bestürmst. Jeden berennst du mit dir und siehst dann erschrocken, daß er erliegt. Es dauert meist eine ganze Nacht, bis du dich von diesem Sturmangriff erholst.

Du erschrickst über dich, weil du soviel von dir vorfindest. Du erschrickst über den anderen, der sich kaum zu reagieren getraut, der dir zuhört und sich alles zu merken versucht, als ginge es um Kostbarkeiten. Du bist aber gar nicht kostbar, es ekelt dich, dafür zu gelten, du bist nur 80 Jahre schon am Leben und hast das meiste Erfahrene noch unausgeschöpft in dir.

Alles tust du, das Bewußtsein des Todes zu verstärken. Die Gefahr, die ohnehin groß ist, vergrößerst du, um die Vorstellung von ihr nie zu verlieren. Du bist das Gegenteil eines Menschen, der Drogen nimmt, nie darf dein Wissen vom Schrecklichen sich ausruhen.

Was aber gewinnst du durch die unaufhörliche Wachheit dieses Bewußtseins vom Tode?

Wirst du so stärker? Kannst du Gefährdete so besser schützen? Flößt du *irgendwem* Mut ein, weil du immer daran denkst?

Dieser ganze enorme Apparat, den du dir errichtet hast, dient zu nichts. Er rettet niemanden. Er gibt einen falschen Anschein von Kraft, nichts als ein Prahlen und von Anfang zu Ende so hilflos wie jeder andere.

Die Wahrheit ist, daß du noch nicht gefunden hast, was die richtige, die gültige, die Menschen nützliche Haltung wäre. Du hast es nicht weiter gebracht als dazu, nein zu sagen.

Aber ich verfluche den Tod. Ich kann nicht anders. Und wenn ich darüber blind werden sollte, ich kann nicht anders, ich stoße den Tod zurück. Würde ich ihn anerkennen, ich wäre ein Mörder.

Ich habe keine Töne, die mir zur Beruhigung dienen, keine Gambe wie sie, keine Klage, die niemand als Klage erkennt, weil sie verhalten klingt, in einer unsäglich zarten Sprache. Ich habe nur diese Striche auf dem gelblichen Papier und Worte, die niemals neu sind, denn sie sagen ein ganzes Leben dasselbe.

Du – ein Arzt! An einem einzigen Patienten wärst du zugrunde gegangen.

Weh dir, wenn du ihn nicht gerettet hättest!

Er braucht die Formen der Tiere, um nicht an allen Formen zu verzagen.

Er will nicht wissen, wie es zu diesen Formen kam. Die Übergänge verwischen sie. Er braucht die Sprünge.

Ein Mensch aus Ähren und wie sie sich alle zugleich zum Lauschen neigen.

Daß er gelebt hat, will man dir nicht glauben. Hättest du Sonne ein wenig schlechtgemacht, er wäre glaubwürdig. Aber er war, wie er war, ich habe ihn während vier Jahren gekannt und die Hand soll mir verdorren, die das geringste an ihm verzeichnet.

So sehr habe ich ihn geliebt, fünfzig Jahre in Stille, nie habe ich es ihm geschrieben, nie hätte ich es ihm gesagt, und jetzt pfeifen es die Spatzen von den Dächern und sein letztes Gedicht steht in der *Zeitung*, und das Gegenteil dessen, was er wollte, ist geschehen.

Aber es ist offenbar geworden, was er mir getan hat, und nun hat man auch von anderen erfahren, wer er war, und was als Geheimtuerei von mir wirkte, ist jetzt als *seine Art* erwiesen, und daß ich nicht mehr über ihn gesagt habe, als ich damals wußte, wird mir niemand verargen, der ihn begriffen hat.

Sag das Persönlichste, sag es, nur darauf kommt es an, schäm dich nicht, das Allgemeine steht in der Zeitung.

Letzte Verfügungen trifft er nicht. Er erweist dem Tod nicht die Ehre.

Wie weit bist du – nach allen Ankündigungen – mit den Vorbereitungen auf das Buch gegen den Tod gekommen?

Versuche das Gegenteil: seine Verherrlichung, und du wirst rasch zu dir selber und zu deinem wahren Anliegen kommen.

Ätzende Namen.

Einer, der seit Jahren jedes Wort von dir kennt und nicht das geringste mit dir gemein hat.

»Mensch« ist für ihn kein Wunder mehr. Ein Wunder für ihn ist »Tier«.

Beschuldigungsfiguren: fix und fertig käuflich zu erwerben. Sein Mütchen an ihnen kühlen, ihre Scherben beiseite schaffen, frei wieder beginnen.

Aus der Welt entwischt, als einziger.

Tage, an denen die Hoffnung zögert, bevor sie versickert, glückliche Tage.

Er hing den Schmerzensarm in die Platane und genas.

Ach, er nahm immer den Mund so voll und jetzt soll er einfach *reden*.

Ich sehe keinen. Ich bin blind. Ich sehe die Bedrohte.

Was dir am schwersten fällt? Ein letzter Wille. Es ist, als würdest du damit kapitulieren.

Und wenn es hieße: noch eine Stunde?

Denkmäler. – Wem? Erfundenen Figuren?

Wenn die Dichter einander nicht halten, – was bleibt von ihnen übrig?

Er verbarg sich, bis er endlich vergessen wurde.

Seit wann weichst du Mythen aus? Fürchtest du sie oder hältst du sie für vergeblich?

Ein Mann, der im Laufe des Tages wächst, als Riese legt er sich schlafen.
   Am Morgen wacht er auf, ganz klein, im Schlaf zusammengeschrumpft und unternimmt von neuem sein Tageswachstum.

Nach 25 Jahren ist es soweit und er kann sein Buch als Fremder lesen.

Warum denkt er, daß etwas stimmt, bloß weil es so alt ist?

Wie gern er »Götter« sagt, – um nicht »Gott« zu sagen.

Und dabei hat er's nie bis zum Sklaven gebracht. Aber er hat Sklaven zugeschaut, die es sein wollten, das war das ärgste.

Eine Fehlberechnung? Die Welt?

Die Bruchstücke eines Mannes, so viel mehr wert als er.

Was die Sprache anlangt, bist du ein Frömmler. Sie ist dir unantastbar. Du verabscheust selbst die, die sie *untersuchen*.

Das Unbewußte, das die am wenigsten haben, die immer davon reden.

Dem schauen seine Sünden zu allen Taschen heraus. Wie oft hat er sich die Taschen schon zunähen lassen. Es nützt nichts.

Das Fremdartige des Wortes »Atem«, als wäre es aus einer anderen Sprache. Es hat etwas Ägyptisches und etwas Indisches, aber mehr noch tönt es nach einer Ursprache.

Die Worte im Deutschen finden, die nach einer Ursprache tönen. Als erstes: Atem.

Man möchte sein Leben in Meditation über Worte beschließen und es dadurch verlängern.

Jeden verwirrt dein Lob. Du hast es nicht gelernt, so zu loben, daß du nicht beschädigst.

Seit er sich versteckt, hat er eine bessere Meinung von sich.

Er bereut kein Hindernis, nichts, das ihn aufgehalten hat. Hätte er gewußt, daß er 80 wird, er hätte mit allem noch länger gewartet.

Man versteht einander über nichts und sitzt altersglücklich beisammen.

Wenn der Parasit sich an deinem Blute vollgesogen hat, läßt du ihn laufen.
    Du wirst dich doch nicht am eigenen Blut vergreifen!

Roheit der Wiederkehr.

Ohne Vorbilder leben, ist das möglich mit 80? Staune wieder, erkenne nichts mehr, gewöhne dir die Vergangenheit ab, sie ist zu reich, du ertrinkst in ihr, sieh auf neue Menschen, achte auf die, die dir nicht mehr zu Vorbildern werden können. Mache das Wort wahr, das du am meisten gebraucht hast: Verwandlung.

Vielleicht hat keiner so tief am Menschen gezweifelt wie du. Vielleicht hat deine Hoffnung darum großes Gewicht.

Man muß sich sagen, wie fruchtbar Mißverständnisse sind. Man darf sie nicht verachten.

Einer der weisesten Menschen war ein Sammler von Mißverständnissen.

Er sucht nach etwas, das er straflos anbeten kann.

Begegnung mit alten Figuren, beim Vorlesen von »David Copperfield«. Was ist aus Uriah Heep in einem geworden und wie war er wirklich?

Es gibt aber auch die vergessenen Figuren, die man plötzlich wie beim Mantelzipfel ergreift: da ist er, wie war er nur, ist er das wirklich, nein, er ist ganz anders, der Mantelzipfel stimmt, aber im Mantel steckt ein anderer. – Es gibt Figuren, die einem damals, man war zu jung, gar keinen Eindruck gemacht haben. Über diese staunt man, manche der besten sind darunter.

Dickens gehört zu den unordentlichen Dichtern, es scheint, daß unter den großen solche die größten sind. Die Ordnung beginnt im Roman mit Flaubert, da gibt es nichts, das nicht gesiebt ist. Ihre Vollkommenheit erreicht die Ordnung in Kafka. Seine Wirkung hängt auch damit zusammen, daß wir vielerlei Ordnungen verfallen sind, die das Leben aufgezehrt haben, ihre Herrschaft und Übermacht spüren wir in allem, was es von Kafka gibt. Doch hat er noch Atem, den er aus der Bekenntnishitze Dostojewskis einzieht, und dieser Atem ist es, der seine Ordnungen zum Leben bringt. Tot wird Kafka erst sein, wenn diese Ordnungen zerfallen.

»Zwei Geizige, die vierhändig auf demselben Klavier spielen.«

Jules Renard, Journal.

Ein Tier mit voller Erinnerung – kostbarstes aller Tiere.

Er legte die letzte Angst ab und starb.

Es stellt sich heraus, daß die Geister, die er aufs höchste verehrt hat, ihn zu Tode gelangweilt hätten, wäre er ihnen im Fleische begegnet.

Eine Gedanken-Lerche.

Die Völker, über die er jung las, sind inzwischen ausgestorben.

Er fand nur noch Sätze, um frühere zurückzunehmen.

Noch immer erschöpft sich sein Geist in Berührungen. Noch immer scheut er zurück vor Einverleibung.

Als er ganz und gar leer war, als nichts ihm verblieb, hielt er sich kühn an den Griff einer Herkunft.

Wenn er nichts zu sagen hat, läßt er Worte sprechen.

Kein Tier hat ihn erkannt. Er war keinem Tier geheuer. Er weigerte sich, ein Tier zum Diener zu nehmen.

Es geht um dasselbe, immer um dasselbe, und obwohl es dasselbe ist, ist es so neu, daß ich täglich wie von Windstößen davon erfüllt bin. Besser wird es nie. Vertrauter wird es nie. Es ist immer das Schlimmste und sagt es ohne Schonung, daß ich vor so viel Verständlichkeit erzittere und mich verstelle. Wenn ich dann wieder ausbreche und nein! zu toben beginne, bin ich so voller Kraft und Entschlossenheit, daß ich davon eine Wirkung erwarte.

Neue Einzelheiten unterwegs.

Er glaubt, alles was er kennt, *gehört* ihm. Es gehört ihm so lange, bis es falsch ist.

Die Unsterblichkeit bei den Chinesen ist Langlebigkeit. Es geht nicht um Seelen. Es ist immer ein Körper da, wenn auch leicht und beflügelt, vorher lang in den Bergen auf Suche nach geheimnisvollen Wurzeln.

Da sie uns vorgelebt haben, die Chinesen, seit langem, seit jeher, ist es um so schmerzlicher zu sehen, wie sie uns jetzt nacheifern. Schließlich, wenn sie uns eingeholt haben, werden sie alles verloren haben, was sie vor uns voraushatten.

Es gibt zweierlei Arten von Freunden, denen man unterschiedliche Positionen zuweist. Die einen werden als Freunde *deklariert,* man hält sie vor allen hoch, man nennt sie, lobt und preist sie, man beruft sich auf sie wie auf Säulen, Träger des privaten Firmaments, man bezieht sich auf sie, als wären sie immer verfügbar, und sie sind es. Ihre schwachen Seiten sind einem so wohl bewußt wie ihre starken, man mutet ihnen, als wären sie unerschütterlich, das Schwerste zu, sie können so viel sein und manchmal sind sie mehr als ein Bruder, man billigt ihnen, selbst wenn sie ihrer gar nicht fähig wären, Uneigennützigkeit zu. An diesen Freunden ist vielleicht das Wichtigste, daß jeder, der einen kennt, auch von ihnen *weiß.*

Die andere Art von Freunden sind die Geheimgehaltenen. Diese nennt man *nicht,* man vermeidet es, von ihnen zu sprechen, man hält zu ihnen Distanz, man sieht sie selten. Man forscht ihnen nicht nach, sie haben unbekannte Eigenschaften. Aber auch die, die man kennt, (weil sie zu offenkundig sind), beschäftigen einen nicht, sie bleiben unberührt, so sehr, daß sie einen bei jeder neuen Begegnung überraschen können. Sie sind viel seltener als die deklarierten Freunde.

Die Geheimgehaltenen braucht man besonders darum, weil man sie kaum je beansprucht. Sie sind da als die letzten Ressourcen eines Lebens, denn man *könnte* sie beanspruchen. Ihre Stellung ist unerschütterlich, aber nicht immer ist sie ihnen bewußt. Es kommt vor, daß sie staunen, wenn man sich doch an sie wendet. Ihr Rat wäre entscheidend, so sehr, daß man es meist vorzieht, auf ihn zu verzichten. Doch stellt man sich gern vor, wie man sich zu ihnen auf den Weg macht, eine Pilgerfahrt, die nicht zu leicht sein darf, die häufig vor Erlangung des Ziels abgebrochen wird, aber nie in einer Zurückweisung endet.

Zur Unsterblichkeit gehört, daß ihren Kandidaten genug vorzuwerfen bleibt, sonst löst sich das größte Verdienst in Langeweile auf.

Ermüdung am Nichtgeschehenen.

Bevor die Worte zu strahlen beginnen, fällt er sich in die Rede.

Warum erträgst du jeden? Weil er so kurz da ist.

Gewinne die Götter zurück, solche die es waren, die du zu früh gekannt und darum verkannt hast.

Was man Menschen in Briefen an sie sagt und was über sie in Tagebüchern. Vergleichen!

Alle Mißerfolgs-Treue sind von ihm abgefallen.

Bist du durch nichts zu bestechen? Mußt du auch deinen Wohltäter sehen, wie er ist?

Kein abscheulicher Glaube verhindert einen abscheulicheren.

Seine Empfindlichkeit für Märchen hat nie nachgelassen. Doch stört ihn, auch wenn es ganz neue Märchen sind, oft das Gefühl, daß er sie eigentlich schon kennt. Sie bestätigen für ihn etwas und erweitern nichts. Es ist, als ob er Rollen finden würde, die er schon einmal gespielt hat. Solange er sie vergessen glaubte, übten sie einen Reiz auf ihn aus. Sie verlieren ihn, wenn er sie auffrischt.

Schrecken des Fragmentarischen.

Am Schluß der islamischen Biographie *Platons* findet sich folgender unerwarteter Passus über sein lautes *Weinen*:
»Er liebte es, allein zu sein, an einsamen ländlichen Plätzen. Wo er war, konnte man meistens daran erkennen, daß man ihn weinen hörte. Wenn er weinte, konnte man ihn in öden, ländlichen Gegenden auf zwei Meilen hin hören. Er weinte ununterbrochen.«
In der Übersetzung von Franz Rosenthal.

Was ich Herodot verdanke, habe ich noch nie bedacht. Ich hatte mich auf Tacitus festgelegt, den ich in der Roman-Zeit las, der zwang mich endgültig in den Rachen der Macht.

Als ich sehr jung Herodot las, war mir die Macht zwar fraglich, doch war sie noch kein ständiges Anliegen. Sie wurde es durch den Tiberius des Tacitus.

Hier steht er und sieht sich den Tod an. Der kommt auf ihn zu, er stößt ihn zurück. Er erweist ihm nicht die Ehre, mit ihm zu rechnen. Wenn dann die Verwirrung doch über ihn hereinbricht, – er hat sich nicht vor ihm gebeugt. Er hat ihn genannt, er hat ihn gehaßt, er hat ihn verstoßen. So wenig ist ihm gelungen, es ist mehr als nichts.

Einwanderungen. Ein und derselbe Mensch wandert am selben Ort immer wieder ein. Er findet sich nie, verschwindet und kommt immer wieder.

Ein Werk aus verweigerten Auskünften.

Der Dummkopf hat sich den Untergang angeeignet.

Der Bettler bot ihm ein Gnadenbrot und er nahm es.

Zuviel Namen im Kopf, wie Stecknadeln.

Früh hatte er Goethe verschluckt und gab ihn nie wieder her. Nun sind die wütend, die selber Goethe verschlucken wollten.

Man muß nur alt genug werden, um alles zu kriegen, was einem nicht zukommt.

Er sagt sich los von sich selbst und atmet auf. Nie mehr will er etwas von sich wissen.

Elias Canetti

Das Augenspiel
Lebensgeschichte
1931–1937
Band 9140

Die Blendung
Roman
Band 696

Dramen
Hochzeit/Komödie der
Eitelkeit/Die Befristeten
Band 7027

Die Fackel im Ohr
Lebensgeschichte
1921–1931
Band 5404

Die gerettete Zunge
Geschichte
einer Jugend
Band 2083

Das Gewissen der Worte
Essays
Band 5058

Masse und Macht
Band 6544

Der Ohrenzeuge
Fünfzig Charaktere
Band 5420

Band 9140

Die Provinz des Menschen
Aufzeichnungen
1942–1972
Band 1677

Die Stimmen von Marrakesch
Aufzeichnungen
nach einer Reise
Band 2103

Hüter der Verwandlung
Beiträge zum Werk
von Elias Canetti
Band 6880

Fischer Taschenbuch Verlag

fi 185 / 3

Thomas Mann
Gesammelte Werke in dreizehn Bänden
Herausgegeben von Hans Bürgin und Peter de Mendelssohn

*»Wenn ich einen Wunsch für den Nachruhm meines Werkes
habe, so ist es der, man möge davon sagen, daß es lebensfreundlich ist,
obwohl es vom Tode weiß.«* Thomas Mann

*Dreizehn Dünndruckbände
in Kassette: 10310*

Band I
Buddenbrooks
Verfall einer Familie

Band II
Königliche Hoheit
Roman
Lotte in Weimar
Roman

Band III
Der Zauberberg
Roman

Band IV
Joseph und seine Brüder
*Die Geschichten Jaakobs
Der junge Joseph*

Band V
Joseph und seine Brüder
*Joseph in Ägypten
Joseph, der Ernährer*

Band VI
Doktor Faustus
*Das Leben des deutschen Ton-
setzers Adrian Leverkühn
erzählt von einem Freunde*

Band VII
Der Erwählte
Roman
Bekenntnisse des Hoch-
staplers Felix Krull
Der Memoiren erster Teil

Band VIII
Erzählungen
*Fiorenza
Dichtungen*

Band IX
Reden und Aufsätze 1

Band X
Reden und Aufsätze 2

Band XI
Reden und Aufsätze 3

Band XII
Reden und Aufsätze 4

Band XIII
Nachträge

Fischer Taschenbuch Verlag

fi 210/5

Heinrich Mann

Studienausgabe in Einzelbänden

Herausgegeben von Peter Paul Schneider

Die Göttinnen
Die drei Romane der
Herzogin von Assy

I. Band: Diana
Band 5925

II. Band: Minerva
Band 5926

III. Band: Venus
Band 5927

Empfang bei der Welt
Roman. Band 5930

Ein ernstes Leben
Roman. Band 5932

Flöten und Dolche
Novellen. Band 5931

Der Haß
Deutsche Zeitgeschichte
Band 5924

Die Jagd nach Liebe
Roman. Band 5923

Die kleine Stadt
Roman. Band 5921

Es kommt der Tag
Essays. Band 10922

Macht und Mensch
Essays. Band 5933

Mut
Essays. Band 5938

Stürmische Morgen
Novellen. Band 5936

Professor Unrat oder
Das Ende eines Tyrannen
Roman. Band 5934

Der Untertan
Roman. Band 10168

Die Jugend des
Königs Henri Quatre
Roman. Band 10118

Die Vollendung des
Königs Henri Quatre
Roman. Band 10119

Zwischen den Rassen
Roman. Band 5922

Im Schlaraffenland
Ein Roman unter feinen
Leuten. *Band 5928*

Ein Zeitalter wird
besichtigt. *Band 5929*

Fischer Taschenbuch Verlag

Ossip Mandelstam

Das Rauschen der Zeit
Gesammelte »autobiographische« Prosa der 20er Jahre
Herausgegeben und übersetzt von Ralph Dutli
Fischer Taschenbuch Band 9183

Mitternacht in Moskau
Die Moskauer Hefte · Gedichte 1930–1934
Russisch und Deutsch
Herausgegeben und übersetzt von Ralph Dutli
Fischer Taschenbuch Band 9184

Gedichte
Aus dem Russischen übertragen von Paul Celan
Fischer Taschenbuch Band 5312

Im Luftgrab
Ein Lesebuch
Herausgegeben von Ralph Dutli
Mit Beiträgen von Paul Celan, Joseph Brodsky,
Pier Paolo Pasolini und Philippe Jaccottet
Fischer Taschenbuch Band 9187

Nadeschda Mandelstam · Das Jahrhundert der Wölfe
Eine Autobiographie
Aus dem Russischen übersetzt von Elisabeth Mahler
Fischer Taschenbuch Band 5684

Fischer Taschenbuch Verlag

fi 1804 / 1

Fernando Pessoa

Alberto Caeiro · Dichtungen
Ricardo Reis · Oden
Portugiesisch und Deutsch
Aus dem Portugiesischen übersetzt und mit einem
Nachwort versehen von Georg Rudolf Lind · Band 9132

»Algebra der Geheimnisse«
Ein Lesebuch
Mit Beiträgen von Georg Rudolf Lind,
Octavio Paz, Peter Hamm und Georges Güntert
Mit zahlreichen Abbildungen · Band 9133

Álvaro de Campos
Poesias · Dichtungen
Portugiesisch und Deutsch
Aus dem Portugiesischen übersetzt und mit einem
Nachwort versehen von Georg Rudolf Lind · Band 10693

Ein anarchistischer Bankier
Aus dem Portugiesischen übersetzt und mit einem
Nachwort versehen von Reinold Werner · Band 10306

Das Buch der Unruhe
des Hilfsbuchhalters Bernardo Soares
Aus dem Portugiesischen übersetzt und mit einem
Nachwort versehen von Georg Rudolf Lind · Band 9131

Fischer Taschenbuch Verlag

fi 1808 / 1

Danilo Kiš · Sanduhr

Roman

Ins Deutsche übersetzt von Ilma Rakusa

Band 9554

Danilo Kiš, einer der wichtigsten zeitgenössischen Schriftsteller Europas, schreibt wider das Vergessen, zumal das Vergessen der Opfer. In seinem mehrfach ausgezeichneten Roman folgt er den Spuren eines Mannes, von dem man zunächst nur die Initialen erfährt, E. S. – pensionierter Eisenbahninspektor, Familienvater, Schachspieler, Kaffeehausbesucher, ewiger Reisender, ehemaliger Zwangsarbeiter, Irrenhausinsasse. Außerdem ist E. S. Jude, und im übrigen spielt die Geschichte im Jahre 1942. Dem Buch liegt die Geschichte des Vaters von Danilo Kiš zugrunde, der 1944 in Auschwitz umkam.

In einer an architektonische und musikalische Muster erinnernden Komposition von Rede und Gegenrede, innerem Monolog, Verhören und Briefen erkundet der Roman ein Leben, das gezeichnet ist von Hilflosigkeit, Ratlosigkeit, Unruhe und Angst – »Angst vor der Nacht, Angst vor dem nächsten Tag, Angst vor Uniformierten, Angst vor Alter und Krankheit, Angst vor Hunden, Angst vor Gott, Angst vor dem Tod, Angst vor der Hölle«. Und doch ist das Fazit dieses Lebens: »Es ist besser, man gehört zu den Verfolgten als zu den Verfolgern.«

Fischer Taschenbuch Verlag

fi 1810 / 1

Erzähler–Bibliothek

Jerzy Andrzejewski
Die Pforten des
Paradieses
Band 9330

Veljko Barbieri
Epitaph eines
königlichen
Feinschmeckers
Roman. Band 11026

Hermann Burger
Die Wasserfall-
finsternis von
Badgastein
und andere
Erzählungen
Band 9335

Joseph Conrad
Jugend
Ein Bericht
Band 9334

Die Rückkehr
Erzählung
Band 9309

Tibor Déry
Die portugiesische
Königstochter
Zwei Erzählungen
Band 9310

Heimito von Doderer
Das letzte Abenteuer
Ein »Ritter-Roman«
Band 10711

Fjodor M. Dostojewski
Traum eines lächer-
lichen Menschen
Eine phantastische
Erzählung
Band 9304

Carlo Emilio Gadda
Cupido im Hause
Brocchi
Erzählung. Band 11016

Nikolai Gogol
Der Mantel /
Die Nase
Zwei Erzählungen
Band 9328

Ludwig Harig
Der kleine Brixius
Eine Novelle
Band 9313

Henry James
Das glückliche Eck
Eine Geistergeschichte
Band 10538

Abraham B. Jehoschua
Frühsommer 1970
Erzählung. Band 9326

Franz Kafka
Ein Bericht
für eine Akademie/
Forschungen
eines Hundes
Erzählungen
Band 9303

Eduard
von Keyserling
Schwüle Tage
Erzählung
Band 9312

Fischer Taschenbuch Verlag

fi 669 / 9 a

Erzähler–Bibliothek

Michail Kusmin
Taten des
Großen Alexander
Roman
Band 10540

George Langelaan
Die Fliege
Eine phantastische
Erzählung
Band 9314

D.H.Lawrence
Die Frau, die davonritt
Erzählung
Band 9324

Thomas Mann
Mario und
der Zauberer
Ein tragisches
Reiseerlebnis
Band 9320

Tristan
Novelle
Band 10572

Thomas Mann
Die vertauschten
Köpfe
Eine indische
Legende
Band 9305

Daphne Du Maurier
Der Apfelbaum
Erzählungen
Band 9307

Herman Melville
Bartleby
Erzählung
Band 9302

Arthur Miller
Die Nacht
des Monteurs
Erzählung
Band 9332

Franz Nabl
Die Augen
Erzählung
Band 9329

René de Obaldia
Graf Zeppelin
oder Emiles Leiden
Erzählung
Band 10177

Vladimir Pozner
Die Verzauberten
Roman. Band 9301

Alexander Puschkin
Die Erzählungen des
verstorbenen Iwan
Petrowitsch Belkin
Band 9331

Peter Rühmkorf
Auf Wiedersehen
in Kenilworth
Ein Märchen in
dreizehn Kapiteln
Band 9333

Antoine
de Saint-Exupéry
Nachtflug
Roman. Band 9316

Fischer Taschenbuch Verlag

Erzähler-Bibliothek

William Saroyan
Traceys Tiger
Roman
Band 9325

Arthur Schnitzler
Frau Beate
und ihr Sohn
Eine Novelle
Band 9318

Anna Seghers
Wiedereinführung
der Sklaverei
in Guadeloupe
Band 9321

Isaac Bashevis Singer
Die Zerstörung
von Kreschew
Erzählung
Band 10267

Adalbert Stifter
Abdias
Erzählung
Band 10178

Mark Twain
Der Mann,
der Hadleyburg
korrumpierte
Band 9317

Jurij Tynjanow
Sekondeleutnant Saber
Erzählung. Band 10541

Franz Werfel
Eine blaßblaue
Frauenschrift
Erzählung. Band 9308

Geheimnis
eines Menschen
Novelle. Band 9327

Edith Wharton
Granatapfelkerne
Erzählung. Band 10180

Patrick White
Eine Seele von Mensch
Short Story
Band 10710

Virginia Woolf
Lappin und
Lapinova
Fünf Erzählungen
Band 11027

Carl Zuckmayer
Eine Liebesgeschichte
Band 10260

Der Seelenbräu
Erzählung
Band 9306

Stefan Zweig
Angst
Novelle
Band 10494

Brennendes Geheimnis
Erzählung
Band 9311

Brief einer
Unbekannten
Erzählung
Band 9323

Fischer Taschenbuch Verlag

fi 669 / 4 c